Il faut prendre le taureau **par les contes!**

Contes de village

Planète rebelle

Fondée en 1997 par André Lemelin

6742, rue Saint-Denis, Montréal (Québec) H2S 2S2
Téléphone : (514) 278-7375 – Télécopieur : (514) 278-8292
Adresse électronique : info@planeterebelle.qc.ca
Site web : www.planeterebelle.qc.ca

Directeur littéraire : André Lemelin
Révision : Janou Gagnon
Correction : Marie-Claude Gagnon
Conception graphique de la page couverture : Josiane Carle
Conception graphique des pages intérieures : Tanya Johnston
Impression : Imprimerie Gauvin ltée

Les éditions Planète rebelle bénéficient des programmes d'aide à la publication
du Conseil des Arts du Canada (CAC), de la Société de développement
des entreprises culturelles du Québec (SODEC) et du «Gouvernement du Québec –
Programme de crédit d'impôt pour l'édition de livres – Gestion SODEC».

Distribution en librairie :

Diffusion Prologue, 1650, boul. Lionel-Bertrand
Boisbriand (Québec) J7H 1N7
Téléphone : (450) 434-0306 – Télécopieur : (450) 434-2627
Adresse électronique : prologue@prologue.ca
Site web : www.prologue.ca

Distribution en France :

Librairie du Québec à Paris, 30, rue Gay-Lussac, 75005 Paris
Téléphone : 01 43 54 49 02 – Télécopieur : 01 43 54 39 15
Adresse électronique : liquebec@noos.fr

Dépôt légal : 2e trimestre 2003
Bibliothèque nationale du Québec
Bibliothèque nationale du Canada
ISBN : 2-922528-35-9

FRED PELLERIN

Il faut prendre
le taureau
par les contes!

Contes de village

Planète rebelle

À la mémoire de Roger à Ti-Mac Lafrenière.

Merci à ...

Mon père André, ma mère Johanne et mon frère Nicolas,
Pépère Eugène et Mémère Juliette Garand,
Marianne Pellerin, Jeannot Bournival,
Léo Déziel, Charles-Auguste de Charrette,
Gérard Lachance, Ferdinand Garceau,
Watson, Diane et Josée Gendron,
Daniel Tremblay, Gaétan Thériault,
Rachid Bouali, Mike Burns,
feu docteur Honoré Cossette, l'abbé Marcel Boisvert,
Louise Lafrenière, Clémence Pellerin,
Michel, Paul et Jean-Pierre Brodeur,
Marie-Marthe et Jacques Rivard,
André Garant, Dany Milette.

Et à tous ces autres qui me prêtent sur parole
des bouts de leurs histoires…

TABLE DES MATIÈRES

Ce n'était pas littéraire,
mais c'était d'une grande sagacité.
Comme quoi la littérature mène à tout
pourvu qu'on ne s'en serve pas.

Yves Thériault

Je suis entré en contact avec le conte par la bouche de ma grand-mère. Elle m'avait dit : « Va me les laver, je vais t'en conter un autre ». De la main, elle me tendait ses dentiers. Moi, malgré mes onze ans, je ressentais l'ampleur du geste. Une passation ? Encore vague comme symbole, mais je me plaçai au ras la chaise berçante. Solennel. Le corps droit, comme à ma première communion. Les mains en coupe, et Amen ! Elle y déposa sa relique. Ça n'est arrivé qu'une seule fois, et pourtant on dirait que c'est hier. Il me semble que ses dents souriaient dans mes mains. Je les caressai doucement, avec mon pouce : « Reposez-vous un peu ! »

Je marchai lentement jusqu'à la salle de bien. Je disposais d'un bijou de famille datant de la huitième génération avant moi. Et je rêvais de les essayer. Je pensais à toutes les histoires chiquées par cet appareil dans des bouches aux mœurs libérées, nudistes de la gencive. Parce qu'on dira ce qu'on voudra, mais il y a toujours eu quelque chose de rose dans le sourire de ma grand-mère. Puis là, à mon tour, spontanément et à onze ans seulement, j'entrais en salle d'eau avec le susdit râteau. J'en tremblais de survoltage.

À onze ans, dans mon pays, la culture ne nous a pas encore appris à nous brosser les dents. Ça ne vient que sur le tard. Le dentifrice est une chose à laquelle on accède avec la majorité. En plus qu'à l'âge où je me trouvais, je venais tout juste d'avoir mes dents d'adulte. Dans mon pays, on mange beaucoup de pommes qui, comme on le sait, ont des propriétés lavantes. Alors, rien n'est véritablement sale. Sans expérience d'hygiène, avec cette bouche de mémère à m'occuper, j'étais dépourvu.

J'en tremblais, donc. Debout au milieu de la pièce. À mi-chemin entre le bain et le lavabo. Par quoi commencer? Les secondes paraissaient une éternité, comme en pareil cas. Figé. Jusqu'à ce que les dents se tournent vers moi. Elles me regardèrent puis, en claquant, elles prononcèrent distinctement: «Tire la chaîne, l'eau va être propre!» Sagesse proverbiale de prothèses, je repris le dessus sur l'émotion. Flusher un grand coup, le dentier au fond de la bolle. À onze ans, on écoute sa grand-mère.

Ensuite, tout s'est enchaîné très vite. Je vous demanderais juste de ne pas parler de ce qui suit à qui que ce soit. Ce n'est pas tout le monde de la famille qui est au courant, faudrait pas qu'ils apprennent ça trop sec. Alors, voilà: j'ai pris des bouteilles dans l'armoire sous le lavabo. J'ai mis la quantité d'un bouchon de chaque blanchissant dans mon mélange. J'ai pris la petite brosse arrondie qui traînait là, puis j'ai spiné autant que je pouvais. J'ai rincé en double, essuyé les mords dans la serviette à la débarque du bain, puis je suis revenu dans la cuisine. Ma grand-mère ne se berçait plus. Immobile. Figée sur le bout de l'élan. Arrêtée dans l'action. Pause/still.

▶ / II

Je m'approchai de la chaise, j'insérai l'héritage dans la bouche de mémère, puis elle repartit de plus belle. Le buccal net, elle s'élança dans une histoire inédite. Cette histoire-là, je m'apprête à l'écrire pour vous. C'est la légende d'un homme qui a vécu... Mais j'ai déjà à moitié peur d'avoir l'orthographe qui flanche. Car un récit comme celui-là, sur les touches d'une grammaire — et ça aura beau être le modèle le plus open —, ça risque toujours de pas être à la hauteur. Soit dit entre parenthèses : (je ne m'attends pas à tout dire parce qu'il y a bien des bouts qui ne s'écrivent pas). Ça me prendrait un alphabet de soixante-deux lettres pour m'en tirer. Puis encore. Il y a les mots qui manquent quand ça devient trop... Alors, plutôt que de me mettre à sacrer, à barbouiller, j'en tairai des miettes. Et pour compenser, en guise de contrepartie aux coupures, j'en ajouterai un peu dans certains passages. Permettez-moi. Puis ceux qui prétendent les savoir, les mots manquants ou de trop, n'ont qu'à bien dire et laisser faire. Cet homme-là dont je m'apprête à vous raconter l'histoire, dans la bouche de ma grand-mère, appartenait à la race de ceux qui vont bien au-delà de la parole. Cet homme-là, il a vécu et il en est mort. Puis on s'en ressent encore aujourd'hui.

2. - Partie du Village, St-Elie (Canada)

Pinsonneault, phot.-édit., Trois-Rivières-Que

Vue sur la rue principale de St-Élie au début du siècle.

LES TROIS PETITS POINTS

Avant d'ouvrir la bouche,
assure-toi que ce que tu vas dire
est plus beau que le silence.

Confucius

Saint-Élie de Garnotte, sortie 166 de l'autoroute 40, à droite au T puis à gauche à la troisième lumière, toujours tout droit ensuite, malgré les portions de terre battue, c'est mon village. Saint-Élie de Garnotte : quand t'es perdu, t'es rendu ! When you're lost, you're là !

Dans mon village, sans vouloir me vanter, ce fut comme dans tous les autres : il y eut pendant longtemps un fou du village. Tenue par le ministère de la Colonisation à procéder ainsi, chaque municipalité avait son fou, et l'inverse. T'avais pas de fou, puis on t'accordait une subvention salariale pour t'en engager un. Chez nous, contexte aidant, le fou bénévolait. Il s'appelait Babine et faisait du mieux qu'il pouvait.

Il naquit un jour sans date parce qu'aucun signe astrologique ne le voulait dans son équipe. De toute manière, il n'était pas superstitieux. Puis on sait bien que l'important, c'est de naître. Peu importe le moment. En plus qu'il a vu le jour la nuit. Moi, ça ne me dérange vraiment pas. D'ailleurs, je n'ai rien à dire là-dessus. Je fais juste répéter les affaires comme je les ai entendues. Si tout ça est vrai, ça ne me regarde même pas. C'est parce que c'est arrivé comme tel et rien d'autre. Alors on ne va pas s'arrêter chaque fois que les informations sont floues parce qu'on n'en finira pas.

Cette mère, donc, ou celle qui s'apprêtait à le devenir pour être plus exact, neuve en la matière *es natum*, criait si fort en crevant les eaux que les voisins crurent au déluge. Ou à un incendie. En plus qu'il pleuvait. Elle hurlait tant que les gouttes de pluie reviraient de bord.

Armés de seaux, pour le déluge ou pour le feu, ça importe peu, les hommes des alentours retontissaient chez la bonne femme et la trouvaient là, étendue dans sa flaque, flasque. Elle gisait, suante et même plus. Chez Brodain Tousseur, le seul abonné au téléphone, on avait essayé de rejoindre le docteur Cossette. L'orage avait dû briser les fils parce que la ligne ne donnait rien de mieux que du néant qui griche. Comme quoi la carte-soleil ne brillait pas pour tout le monde. Chose sûre, et elle n'en doutait pas : elle souffrait énormément-ment-ment. Puis ça suffisait à la convaincre que c'était vrai. Elle avait si mal que ça en devenait plus difficile à supporter pour les autres que pour elle-même.

— Madame, je pense qu'il se présente par le siège !

Accroupi dans l'angle du conduit natif, c'est M'sieur Tousseur qui, secouriste à l'improviste, assistait de plus près. À pleine face dans l'entrejambe de la débouleuse. Personne ne savait où donner de la rescousse, étant donné que la sage-femme elle-même s'affairait à accoucher. L'équipe improvisée, comme un corps médical sans tête, cherchait moyen, mais il n'y avait pas de place pour penser. Elle gueulait trop.

— Madame, je pense qu'il se présente par le siège !

En fait, l'enfant souriait. Il entra dans la vie de l'avant, malgré les apparences. Le devant comme un derrière. Parce qu'il était affreux. D'où la confusion.

La mère lâcha de hurler, puis l'intérêt tomba sur l'objet engendré. Il fallait lui sacrer une claque pour qu'il braille. À cause du débouchage des conduits respiratoires. Il fallut donc attendre qu'il chie sur le curé pour savoir à quel bout lui donner la tape du premier respir. Ce fut le curé lui-même qui procéda, avec un élan de colère pour la tache sur sa soutane. De toutes ses forces. CLAQUE ! Pourtant, le né ne pleura pas. Il souriait encore. Chacun leur tour, les assistants entreprirent donc de le frapper, pour lui désengorger le tube. En petit monstre, il ne fit aucun son, mais chia en liquide sur tous les membres de l'assistance. Ni cri ni rire, seulement de la marde. Muet comme une carpette. Mais d'une odeur qui parlait fort.

Après la ronde des fessées, malgré l'absence de cri, sa mère fit signe que ça allait. Il respirait bien. Cette nuit-là, il venta si fort que les cloches de l'église sonnèrent toutes seules.

***

Quand le visage de ce bébé-là apparut au village, ça consterna d'une commotion tant il était lette. Sa mère le traînait partout, enrobé dans des guenilles. Les gens s'approchaient pour le voir et se décevoir. Puis on avait beau chercher, parce qu'on sait que les enfants sont toujours beaux un minimum, il restait lette partout. Habituellement, on attend d'un petit qu'il présente un minimum acceptable. Au moins un grain de beauté. Mais lui, rien. Et je ne vous parle pas d'une laideur qui déclenche le «c'est-plate-pour-lui», mais plutôt de celle qui engendre le «c'est-l'fun-pour-nous-autres». La seule vue de sa grimace semait crises d'asthme et d'hyperventilation, pour cause de rire. Plusieurs habitants de l'actuel village ont encore traces aux poumons des crampes de leurs ancêtres.

Les mois firent grandir Babine, dont la justification du prénom m'échappe, mais le temps tarda à lui donner la voix. Le silence de mort de sa naissance demeura malgré tout. Et à l'âge où les enfants mènent du train, celui-là passait sans bruit. Bien des personnes raisonnables du village en vinrent à croire qu'il était muet. Puis certains crurent bon de vérifier dans sa bouche.

— Peut-être que le chat lui a mangé la langue !

Mais non, elle était là : une belle grosse langue baveuse qu'aucun félin n'aurait eu envie de manger. À quelques différences de la normale, la sienne était peut-être même un peu plus épaisse que les autres. Puis si certains s'aventuraient à questionner sa mère à ce propos, elle leur répondait de pas s'en faire, qu'il ne présentait rien d'anormal.

— Que j'en voie pas un lui jouer dans la bouche !

Avec les ans, le silence devint insupportable. De cet enfant observateur au sourire permanent ne sortait jamais aucun son. Plus que ça, tous les bruits semblaient s'effacer en sa présence. Côté sonore, il engloutissait tout, comme un trou noir. Troublant.

— Salut , mon p'tit homme…

Tout ce qui semblait pouvoir sortir de cette bouche-là, c'étaient des «... ». Des trois-petits-points, à la tonne, qu'il laissait tomber dans le silence.

— Le petit maudit! On dirait qu'il voit des affaires qu'on voit pas!

Des milliers de points de suspension qui traînaient n'importe où, que tu ne savais jamais quand est-ce que t'étais pour t'enfarger en mettant le pied dessus. On en retrouvait partout dans le village. Des perles à collier de «chut!» qu'on se disputait pour en faire des billes, de la soupe aux points ou de la farine moulue et bouche cousue.

Et le mutisme tranquille durait... De ce silence qui devient impossible à soutenir quand il se prolonge trop. Mute. La tombe. Ça durait depuis toujours. Mais aucun village n'est tenu à l'impassible. Si ce silence ne semblait pas déranger Babine, c'est dans l'entourage que ça indisposait! Le curé le forçait à boire de l'eau bénite, le docteur Cossette lui faisait un entretien régulier des cordes vocales. Toujours pas un son.

Brodain Tousseur, incapable de se retenir les bonnes idées, finit par se lancer.

— C'est pas la langue, pas la gorge, pas les cordes vocales: ça doit être les dents.

En blague, mais on le prit au mot. Ils s'y prirent en gang pour édenter le jeune garçon. Pas une par une, ç'eut été trop douloureux, mais d'un coup. De poing. Les dents lui tombèrent de la bouche comme autant de ponctuations blanches. Il ne pleura même pas. Alors, on emprunta un dentier, on l'attela, puis... RIEN! Encore rien!

— Je comprends pas. Avec le dentier du curé, il devrait pas avoir de problème à parler.

À la longue, ça finit par faire assez. La mère de son fils se pointa le nez bissextile à une réunion des hommes du village. En furie? Non! Pas fâchée à outrance. Juste assez convaincue et déteignante.

— Il faut pas! Je veux pus voir personne le toucher. Compris?

Elle remit les points sur les «i» et en profita pour expliquer à tout le monde que son fils n'avait aucun problème dans la bouche ou ailleurs en lien.

— C'est dans vos oreilles que c'est déréglé!

Puis ce soir-là, tout le monde fut mis au courant. Le jeune fou n'était pas muet. Il suffisait juste de porter attention.

— C'est parce que vous l'avez jamais écouté!

LA PINTE DE LAIT

Saint-Élie de Carton, gossé à même la vaste forêt mauricienne, c'est mon village. D'ici où la pitoune illettrée se cordait serrée pour s'entamer un destin pulpeux de papier gazette et de cartes topographiques. Des journaux qu'on nous livrait avec délai pour s'assurer de conserver le retard dans les nouvelles. Des mappes qu'on nous revendait les yeux baissés parce qu'on n'y retrouvait même pas inscrit notre nom : Saint-Élie de Carton. Un patelin dessiné à grands traits sur une époque où l'obligation d'un fou partout se lisait dans les Lois du Colon. Parce qu'à force de manger de la misère, t'as la digestion déréglée et l'agressivité qui retrousse. Et ce n'est pas vrai que l'autrefois n'amenait que des festins de Noël sur la table. Le petit Jésus ne naissait pas tous les jours, et les tablées quotidiennes portaient souvent à roter creux.

Manger de la misère ! Ce beurre noir fabriqué à base de gales et autres rejets de corps servi sur du pain sec à fréquence de trois menoums par jour, je vous jure que ça jouait assez rapidement sur le système nerveux. Dont le gros nerf du cou qui en fait partie. Et quand les spasmes involontaires se rapprochaient et empêchaient son homme de bien fonctionner, il fallait procéder à l'évacuation du trop-plein par une bonne claque sur la gueule. La main d'un bon habitant retrouvant tout le confort souhaité sur la joue d'un fou, ça faisait l'affaire d'en avoir un toujours prêt à être livré. On vous le déposait sur la galerie. Suffisait d'ouvrir la porte puis de lui en envoyer une bonne. CLAQUE! Ça vous ré-enlignait le paroissien pour une couple de semaines.

Babine subissait donc la volée sous prétexte de soupape et en souriant. Régulièrement, depuis son tout début. Toujours désagréable à l'œil nu, il s'offrait comme une proie facile à fesser sincèrement. À sept ans, la laideur de Babine s'amplifiait tant que sa mère ne le laissait plus sortir le dimanche à cause des vidanges. C'est d'ailleurs à cet âge que Babine fut condamné à tort pour la première fois de sa vie. La mort, et ce fut une jurisprudence. La suite allait suivre, pour le bien de la légende.

***

Génétiquement lette, avec sa mousse en-dessous des bras, il commença tôt à sentir mauvais. Encore pubère, et déjà certains maires paranoïaques des alentours le considéraient comme une arme bactériologique. Comme Babine présentait peu d'aptitudes pour les études et que la maîtresse avait dédain, il fut rapidement remis en liberté. On le laissa vaquer à rien, à s'inventer des jeux solitaires, à jouer avec lui. Et je ne parle pas de jouer avec lui dans le sens qu'on pourrait penser, mais plutôt dans le sens de s'amuser avec lui-même et personne d'autre. Il en profitait pourtant quand les enfants de son âge prenaient congé pour partager sa liberté avec eux. Il passait alors son temps à les regarder s'inventer des jeux. Les épiant, il souriait encore plus. Comme si le bonheur des autres améliorait le sien.

Il ne s'embarquait pas, parce qu'on ne lui en donnait pas le droit, mais il se déridait par procuration, en voyeur. Et ça lui prenait si peu que, petit à petit, son sourire sincère s'agrandit encore et se fit une place majoritaire et définitive dans sa surface. Inscrit là, en permanence dans ses traits et ses rides trop jeunes. Juste à s'imaginer…

Quelquefois seulement il participa aux amusements lors des parties de cachette. Pourtant, même si tous savaient où il se trouvait, on finissait toujours par ne pas l'esbailler. On ne prenait même pas la peine de le chercher. Il aurait attendu derrière la corde de bois du presbytère une semaine, qu'on ne se serait aperçu de rien. Peut-être qu'on aurait fini par le fendre pour le jeter dans le poêle. Même chose pour la tague, qu'on ne lui donna qu'une fois. Si heureux, qu'il la conserva pour lui pendant des années.

***

Un mardi matin, jour du laitier, il assistait de loin à une partie de marles. Installés en plein milieu de la rue principale, les écoliers se lançaient quelques allées de bisbilles en attendant la cloche de la maîtresse. Babine, de son côté, se cachait dans la touffe d'arbres du presbytère pour espionner le plaisir.

À un moment donné, et je ne sais d'ailleurs pas pourquoi ceci se retrouve dans l'histoire, ce fut un des enfants qui s'écarta du groupe pour courir vers la maison du curé. Il frôla la cachette du jeune fou, puis grimpa d'un bond les marches de la galerie du presbytère. L'enfant pressé frappa à la porte, puis attendit qu'on lui ouvre en sautillant. Ses sautillages se transformèrent bientôt en pliages, et il n'en put plus. Il dézippa ses culottes rapidement et, la bedaine en avant, il s'enligna dans le goulot de la bouteille de lait vide du curé. Cette bouteille, mise là en attente d'être échangée pour une pleine par le laitier, se remplit. L'enfant refermetura l'éclair en vitesse puis déguerpit.

Habitué au laitier du mardi, qui cognait toujours pour annoncer son passage, le curé ouvrit sans faire attention et ramassa sa bouteille. De retour dans la rue, l'auteur du mauvais coup entraîna toute sa troupe à la hâte vers l'école. La cloche venait de sonner.

Les temps que la bande de marleaux s'efface, puis le curé fit claquer la porte en sortant. Il se percha sur le perron en crachant. Première chose qu'il vit : Babine, couché dans la touffe, à rire. Comme un fou. Le curé ne lui laissa même pas le temps de marmonner. Pas d'excuse, pas d'explication. À sept ans, il fut condamné à mort sur-le-champ, pour la première fois de sa vie.

On procéda par peloton d'exécution. Pas de fusils, mais des pierres. Des tireux de roches, alignés devant un Babine ligoté au tronc de l'hêtre suprême qui agonisait dans la cour du presbytère. Les projectiles le frappèrent durant une heure, jusqu'au sang, dans les parties les plus tendres. Il ne cria point. D'exclamation, mais point tout de même. Puis, on le relâcha en croyant qu'il était assez mort pour cette fois-ci.

Le kiosque d'entrée de la tombola à Mégilde Rivard.

IL FAUT PRENDRE LE TAUREAU PAR LES CONTES

L'amour a p't-être des beaux yeux
Mais est pas aveugle pantoute.

Yvan Bienvenue

Saint-Élie de Klaxon, une bande de criards qui s'en font une légende, de la rumeur, c'est mon village. Un patelin amplifié qui s'entend entre les branches. Saint-Élie de Klaxon : exagéré et surprenant. À preuve — et je vous dis ça avant de l'oublier — cet accord signé dans des bureaux éloignés d'un gouvernement quelconque au moment même où Babine naissait, et qui visait l'octroi à mon village d'un soleil flambant neuf. Tous les services arrivaient en même temps. La vie fait souvent comme ça. Tout, ou rien. Mais en même temps. Au début de l'histoire, on jouissait donc d'un fou et d'un soleil.

Seulement que trois-quatre maisons dans cet embryon de campement, quelques colons courageux puis, malgré le prix que ça coûtait en huile à chauffage, le soleil brillait. Un petit soleil nouveau-né. Si jeune, encore, qu'il ne se réveillait même pas par lui-même le matin. Il fallait aller le quérir à Saint-Barnabé-Nord, avec une charrette, à l'aube. Un soleil naissant, qui se couchait très tôt le soir, qui devait faire sa sieste l'après-midi. Les journées restaient courtes, mais on en prenait soin. Quand même il n'aurait relui que quelques minutes par jour, ça faisait tellement plaisir de voir la lumière que personne ne pensait à se plaindre.

Au premier matin du monde, par chez nous, le coq crut bon de s'étouffer avec sa pastille! Le torse bombé, il prétendit dans la basse-cour que c'était lui qui avait décroché le soleil. Le maire fit de même en clamant bien haut que c'était lui. Le forgeron, que c'était lui. Tout le monde, que c'était lui. Le curé trancha, comme à son habitude en cas de litige, et avoua que c'était lui.

Mais quelques mois plus tard, et on ne s'en occupait déjà plus. C'était comme s'il avait toujours été là. Comme un lustre de plafond de château qu'on oublie de regarder. Puis le village a grandi. Comme son soleil. Comme son fou.

***

Babine était si repoussant que jamais encore, même rendu à l'âge majeur, il n'avait senti l'effet d'un regard de femme sur lui. Pour lui, l'amour et ses effets appartenaient à cette sorte de choses accessibles qu'aux autres. Et puis on en parle tant, de l'amour. Le curé en faisait un sujet de prédication dans ses sermons, les chansons ne se répondaient que sur cette note. Tant et si bien que le sevré de penchant finit par s'informer aux gens du village.

— L'amour?

— Ah! Ça..., lui répondait-on freudiennement.

Ce fut Brodain Tousseur qui en vint à compatir avec le fou. Un moment où il fut seul avec lui, il expliqua tout, comme il le sentait.

— L'amour, mon Babine, c'est un frisson dans la colonne vertébrale. Tu vas voir, tu vas le sentir. Si jamais ça te pogne, ça va te branler à partir du bas du dos, ça va te faire vibrer jusque dans la tête. L'amour, Babine, c'est un chatouillage vertical à double sens.

L'hiver suivant, comme il le fallait bien, il fit un frette sous la barre du seuil. Un hiver à vous péter les dents dans la gueule au moindre sourire externe. Pas des flocons, mais des mottes. Ça vous tombait sur le pays comme des galettes d'un pied. En décembre, déjà, il fallait chercher le clocher de l'église avec une perche dans les montagnes blanches. Tant frette que certains perdirent leur goutte de mercure dans le thermomètre et ne la retrouvèrent jamais. Mais vous le savez déjà.

Par un mardi matin, Babine sortit sur son perron pour cueillir sa pinte de lait congelé, comme tiré d'une vache polaire. Un courant d'air proportionnel à l'air ambiant lui pénétra dans la queue de chemise et déclencha un réflexe de son système électrique. Un frisson le prit, au-dessus de la fesse. Pas un ébranlement à vous disloquer l'échine, mais quand même un, et suffisamment présent.

Babine, à la colonne vertébrale en zigzag, avait à moitié peur des effets de l'amour. À ce moment-là, pourtant, il saisit que ses effets n'étaient qu'un doux massage, qu'une réaction d'hormones sympathiques. L'évidence aux yeux, il en déduisit net-frette-sec que l'hiver était l'amour. Et l'inverse.

À partir de ce soubresaut, et pour des mois à venir, il fut pris d'amour givré. En caleçons thermos, il semblait ne pas geler. Il se garrochait dans les bancs de neige, qu'on ne savait jamais à quel moment il allait ressoudre. Les enfants étaient morts de peur à l'idée de l'amoureux émergeant devant leur traîne sauvage. Amoureux fou, par-dessus la tête. Par chance que ça ne dura qu'un hiver. L'été suivant, à la canicule de la fin juillet, Babine apprit à ses dépens et plaisirs que l'amour pouvait frapper. Même en chaleur.

Il en eut connaissance lors du passage du «Cirque de Mônia» au village. Cette fois-là, il fut pris d'un élan tremblant pour la dresseuse d'animaux. La belle Mônia. Avec un accent d'ailleurs, elle prononçait «Cirque DÉMônia». Belle, à faire frémir un invertébré. Et elle ne fut pas sans poser son regard enjôleur sur un Babine jamais remarqué jusqu'alors par la secte féminine.

***

À tous les étés pendant les années qui nous occupent, la tombola de Mégilde Rivard s'arrêtait à Saint-Élie de Klaxon. Pour l'espace de quelques jours, c'était fête dans la paroisse. Mégilde Rivard, propriétaire de cette formule d'exhibition itinérante, avait le tour de se faire attendre à chaque année. Il déployait un genre d'exhibition agricole mobile, si vous voulez, mais sans animaux, où tout le monde venait dépenser quelques piasses dans les manèges modestes, roulettes chanceuses, machines à coups de poing et autres patentes bruyantes.

La tombola, comme un entracte dans la saison. Et Mégilde prenait soin, pour stimuler ses ventes, de surprendre avec un invité spécial de temps en temps. L'année précédente, ce fut son fils, équilibriste, qui marchait sur les mains pour cinq cennes. Mon oncle Jean-Louis en avait pris pour vingt-cinq piasses, et le petit gars ne revint pas l'année suivante. Cet été-là, la surprise fut, pour la première fois, une portion agricole de l'exhibition : un cirque d'animaux dressés. Ce «Cirque de Mônia».

Depuis le mercredi, un immense chapiteau s'érigeait dans le quatrième rang, attenant à la grange de Ferdinand Garceau. La Mônia d'affiche, cette publicité femelle présentée comme maîtresse de l'arène et dompteuse magnifique, fut aperçue déambulant de hanches sur la rue Principale. Une fois seulement, mais ce fut suffisant. Une femme aux longs cheveux noirs, lustrés-luisants, jusqu'aux fesses. Des couettes noires comme le charbon. Avec ça, deux grands yeux. Des yeux roses, sur la poitrine ! De ces yeux qui vont de l'avant et dont tous les hommes ressentent le regard. Même Babine, qui jusque-là n'avait jamais vu d'yeux de face, s'était senti dévisagé par ces pupilles démesurées. Un charisme dans la fixation. Un quelque chose de marketing dans les courbes.

Bien évidemment que tout le monde honora son rendez-vous spectaculaire. Ça eut lieu le vendredi soir, pour couper la foire en deux. Ça s'annonçait pour être une grosse veillée. D'ailleurs, la rumeur prétendait que la dresseuse avait provoqué du grand chambardement lors de son passage dans les paroisses avoisinantes.

À l'heure pile de cette soirée, installée sur les bottes de foin, la population entière rivait les yeux sur l'entrée de jeu. Cent personnes : n'en manquait aucune. Le mot s'était passé, la rumeur avait les branches longues sur la beauté de la dresseuse, et on sentait les hormones mâles prêtes à la prestation. La belle allait affronter les bêtes. Il y avait quelque chose de rugissant en dedans de chaque homme à l'idée qu'une femme allait mettre à sa main l'instinct des plus fauves animaux. Babine ne pensait à rien, plongé dans son Por-Cogne jusqu'aux oreilles. Il prenait place au premier rang, sur une botte de foin pliante.

— QUE LE SPECTACLE COMMENCE !

Rrrrrrrrrrrroulements de tambourrrrrrrrrrrr. Sur une musique de fanfare, la belle Mônia s'avança dans l'arène. Tous les fanals visèrent sur elle. Bien grimée, en paillettes brillantes, sur son 36… 24 ! Elle reluisait dans la lumière. J'aurais pu écrire sur un papier d'aluminium qu'elle n'aurait pas brillé plus. Ointe du corps aux pieds. En tenue légère, huilée comme une patate frite, avec ses grandes couettes noires qui lui donnaient des petites tapes sur les fesses quand elle se revirait trop vite. Belle, belle, et rebelle encore. La belle Mônia ouvrait le bal en claquant du fouet.

Les animaux défilaient, on se serait cru dans le logement de Pépère Noé. L'arche du triomphe pour cette dresseuse faisant démonstration de son pouvoir de charmeuse sur son troupeau. Et ça s'énumérait sans trêve : souris, chat, chien… puis la poule noire faisait des œufs bruns.

— C'est une poule daltonienne !

Souple, le geste rapide, elle donnait le rythme aux numéros sur les humeurs de ses sauts. Loup, âne, vache… puis la jument marchait à reculons !

— Elle est ferrée à l'envers !

Elle avait le tour de tourner en agneaux même les plus méchants lions. Tigre, panthère, ours… puis M'sieur Brodain Tousseur !

— Ôtez-vous de d'là, M'sieur Tousseur !

Singe, serpent, licorne… puis le cochon défrisait la queue !

— Il est pas le seul !

Ainsi de suite, le bestiaire entier y goûta. La Mônia s'en fit la déesse incontestée.

Le spectacle marchait son chemin, puis, bientôt, on approcha de la fin.

— VOICI LE CLOU DU SPECTACLE, COMMANDITÉ PAR LA QUINCAILLERIE GENDRON !

À quoi s'attendre de plus ? Quoi d'autre après tout ça ?

***

Je ne veux pas interrompre l'action, mais il faut dire que certains éléments doivent être lus avant la suite. D'abord, dire qu'au moment de ces lignes, Babine parvenait à grandeur mature. Le temps aidant, le jeune avait continué de vieillir. Plutôt rejeté que rejeton. Et à mesure qu'il grandissait, il s'enlaidissait toujours. Crochu, puant. À croire qu'il n'existait pas de limite à la monstruosité. Exponentielle. Et quand sa stature arriva mûre, sa colonne vertébrale ne reçut pas l'information. Sur l'air d'aller, elle continua à croître. Derrière sa tête. Une protubérance d'échine s'installa sur la crête de son dos. Comme un coccyx inversé. Un surplus de bagage. Une rétention dos. Babine était bossu, pour ceux qui ne le savent pas.

Pendant toute la durée des numéros, donc, Babine n'avait vu aucun animal. Non pas qu'il doutât qu'il y en eût, mais il s'émerveillait devant la dresseuse, plutôt que devant ses sujets. Elle rayonnait tellement qu'il ne voyait rien autour. La lumière qu'elle dégageait, son regard rose posé sur lui. Et ses deux difformités sur le buste, comme la sienne au dos. Il fantasmait à l'idée que tous les trois, ils s'entendraient bien ensemble.

Les idées germaient dans sa caboche, à la même vitesse que s'installait le frisson au-dessus de sa fesse. Rosé, mais grisant. Il sentait l'amour en juillet, pour la première fois de sa vie. Et le spectacle s'achevait déjà.

***

— VOICI LE CLOU DU SPECTACLE, COMMANDITÉ PAR LA QUINCAILLERIE GENDRON.

Un clou! Là-bas, au fond, la toile de la tente s'est dézippée. On a vu la porte s'ouvrir sur deux grandes surfaces luisantes. Dans l'ombre, comme des yeux, mais incroyables par leur dimension. Deux grands globes humides difficiles à déduire. Des bulbes oculaires et occultés qu'aucun animal connu ne pouvait supporter.

Trois pas en avant : la terre a tremblé. Il s'agissait bien d'yeux. (Et il ne faut surtout pas avoir peur. Lisez lentement. Ce qui suit ne comporte aucun danger. Si jamais quelque chose d'étrange survenait, fermez le livre rapidement, et rien n'en sortira !)

Ce qui se tenait au centre de l'arène : la silhouette énorme d'un TAUREAU. Une bête de 19 tonnes. Pas une taurette, mais un TAUREAU, en lettres majuscules. Le monstre s'avança vers le public. Personne ne bougeait plus, bouche bée, le souffle à off. Un TAUREAU au poil noir, lustré-luisant. Noir comme le charbon. Avec ça, deux grands yeux. Des yeux rouges, chauffés au bois de corde ! Avec la fumée des cheminées par les narines. Le mastodonte posa son abondant regard sur la foule. Cent personnes, à cinquante par rétine. Tout le monde était en joue.

— Moi, je sacre mon camp d'icitte !

— Grouille pas d'là, niaiseux !

Mônia siffla la bête et garda son sang chaud. Devant la menace, elle tira de sa brassière un petit foulard rouge. Le TAUREAU pivota vers elle, respirant toujours plus dru. Dans son œil, s'entremêlant aux flammes, se réfléchissait le mouvement du fichu. Les sabots grattèrent la garnotte, le mastodonte baissa la tête puis s'engança vers le tissu. La première charge manqua sa cible. Le tas de muscles se retourna, plus colérique encore, puis récidiva, entraîné dans son élan. Il portait la corne raide, comme celle de tous ces hommes dans l'assistance qui reprenaient leur courage en voyant la toréadore du chapiteau maîtriser cette force brute. Olé !

De gauche à droite, aller-retour, puis encore pendant quelques minutes… Les mouvements de la danse déplaçaient l'air. Dans la tente, il ventait à écorner une cocue. De gauche à droite, puis encore… La foule criait, encourageait la femme de feu. Un dernier envoi, puis la Mônia finit par enligner le steak dans sa cage. Sous un orage d'applaudissements, l'équipe, avec la meneuse au centre, fit salut aux gredins. Voici, voilà. Et une ovation debout pour partir plus vite!

***

Babine se disait que c'était ça, l'amour. Au moment où le spectacle se terminait, le fou décidait d'attendre la belle. Il en était sûr, mûr, dur. La réciprocité l'aveuglait de son évidence : elle l'avait fixé pendant toute la durée. Et elle finirait bien par sortir des coulisses pour qu'ils se marissent.

Babine a attendu. Seul, resté installé sur sa botte de foin, il a vu les décors qui se démontaient. La longue rangée de lumières à l'huile, les instruments de musique couchés dans leur boîte, la machine à boucane débranchée. (Machine à boucane! C'est Pépère Eugène Garand, installé dans une boîte de carton, qui fumait des Peter Jackson King Size!) Ils ont tout serré, puis la belle aux cheveux noirs n'a jamais reparu. À un moment, un technicien costaud vint dire à Babine de sortir parce qu'ils allaient sacrer le chapiteau à terre.

— Si tu restes là, on va te rouler avec la toile!

Babine s'imaginait, pour se consoler, que la belle Mônia devait s'être évaporée. Dans les cirques, tout peut s'évaporer… Il sortit donc, sous sa bosse. Puis, sur une table de bois oubliée près de la porte, il vit un étalage des cossins à vendre. Des « souvenirs à 10¢ », qu'il était écrit. Des photos d'animaux, en grande partie, mais aussi, sur le coin de la table, une petite tresse. Une couette de cheveux noirs que l'on reconnaissait facilement comme étant ceux de la dresseuse.

Babine posa dix cennes sur la table, puis il se sauva avec l'entortille capillaire. Il courut jusque chez lui, courut à en perdre haleine, en serrant sa promesse entre ses doigts…

Arrivé à la maison, Babine fouilla sur la tablette des livres de recettes de sa mère. Il savait qu'il se trouvait là un grimoire, un manuel de magie. Il mit la main sur la pièce : l'épaisseur d'une bible, reliée en cuir, avec des signes étranges sur la couverture. Il feuilleta l'ordre alphabétique : A-B. Jusqu'à « C », comme dans « Comment faire revenir quelqu'un par la Couette ». Incapable de lire, il se fia aux images.

1.   Placez les cheveux au centre de la table.
2.   Installez des chandelles sur chaque coin.
3.   Prononcez les paroles magiques.
…
X. Placez la couette sur la branche d'un arbre mort. Le lendemain matin, vous cueillerez comme un fruit mûr la personne que vous souhaitez revoir.

Un fruit mûr ! Dans la tête du fou, Mônia ressemblait à une pêche. Une pêche en duvet noir.

Babine alla déposer ses poils d'espérance sur la branche de l'hêtre suprême qui agonisait devant le presbytère. Ensuite, il fila au lit. Aller s'étendre, pour se relever au plus vite. Il dormit peu, mais fit des rêves qu'il n'avait jamais cru possibles. Des songes remplis d'images jamais vues. Comme s'il avait eu le câble avec des postes en anglais. Il ne comprenait pas, mais ça sentait l'érotique, l'exotique. De la chaleur plein les draps... Et toujours rose malgré la noirceur opaque.

Au petit matin, le coq snooza. Ce qui réveilla Babine, ce fut un énorme coup d'amour sur la devanture de sa maison. Ça fit branler les murs jusque dans les fondations. Le fou en déduisit qu'elle l'aimait plus que prévu.

Il sauta de son lit comme une tranche de pain toastée. Sans prendre le temps de s'habiller, il fonça à la cuisine pour aller ouvrir les volets. À sa grande surprise, il vit ce qui se trouvait là. Il n'y avait d'ailleurs pas de place pour rien voir d'autre. Devant lui, écrasé dans les vitres de la porte patio, un œil par carreau... (Ce qu'on ne lui avait pas dit, à Babine, c'est que Mônia portait une perruque. Ce qu'il avait pris pour des cheveux n'était en fait qu'une touffe emmêlée de poils de queue du TAUREAU.) ... un TAUREAU de 19 tonnes.

Pudique et timide, Babine en bobettes ne sut se retenir de rougir. Devant un TAUREAU, pourtant, ce n'était pas la meilleure des choses à faire ! Bull's eye ! La bête recula de quelques pas puis, amoureusement, fit péter les volets frais peints tout le tour de la maison du fou.

Quand tous les volets rouges furent débarqués de leurs pentures, la bête prit le bord du village.

Pendant les jours qui suivirent, le TAUREAU parcourut le village en chargeant sur toutes les rougeurs ou sur celles susceptibles de l'être.

— Que personne ne rouge!

Un ravage du diable. À grandes élancées, il pointait la corne et démolissait tout ce qui affichait rouge. À croire que le village avait voté libéral unanime parce que le TAUREAU chargeait la liste électorale sans distinction! Jusqu'aux enfants qu'on devait garder à la maison de peur de les voir revoler sous l'impact d'un coup de mégatête. La poussière de la garnotte des chemins s'installait comme un nuage bas: les habitants avaient l'impression de vivre dans une corrida. Pendant près d'une semaine, ça persista. L'état d'urgence décrété. Les autorités suspendirent les activités du bureau de poste et de la petite école. État de guerre! Il eut fallu fermer temporairement l'aéroport international, s'il y en avait eu un.

Le réflexe étant toujours le même (Quand ça va mal, c'est à cause du fou!), le curé organisa une délégation pour aller brasser Babine et lui demander de nous débarrasser de la bête. Sous les invectives, le fou refusa.

— Pas de magie, plus jamais de magie…

— On va te la stimuler, la magie, mon homme!

Après avoir cotisé chacun, ils achetèrent trois-quatre gallons de peinture sanguine qu'ils appliquèrent sur la cabane à Babine. L'effet fut immédiat. Pendant les jours qui suivirent, l'assaut n'eut de cornes et d'yeux que pour la maison du fou. Puis lui, de son côté de la médaille, pris de peur, il se terrait dans son lit sans savoir quoi faire. Enroulé dans sa seule couverture, abrillé par-dessus la bosse, il espérait que le TAUREAU se trouve meilleure cible.

Pendant qu'on voyait revoler les planches de la cabane dans le rang, la paroisse avait investi l'église, puis ça priait comme jamais. Les murmures habituels prenaient l'ampleur de cris.

— Débarrassez-nous du TAUREAU! Amen!

Des chapelets au millage. Ça lésinait pas sur les demandes d'aide. Ça prendrait un miracle, autrement le village serait détruit à néant. Prières et dévotions, il y en a qui se faisaient de la corne dans le front à force de se signer de la croix. Des ampoules aux doigts, que certains devaient se revaucher à prier de la main gauche.

— Débarrassez-nous du TAUREAU! Amen!

Et le Bon Dieu restait sourd. Ou silencieux. Ou les deux.

***

Le dimanche suivant, sur la fin de l'après-midi, au jour dit du Seigneur qui nous concerne, les vêpres s'étiraient en overtime comme dans le cadre d'une émission spéciale sur le cas du bulldozer.

— Débarrassez-nous du TAUREAU! Amen!

Pour se délasser le sabbat, de son côté, la bête se crinquait le divertissement sur la pancarte de STOP au coin des rues Saint-Pierre et Principale. PING! La pancarte lui revenait en pleine face, l'enrageait encore plus, et ainsi de cycle. PING!

Profitant du répit, Babine s'arma de sa ruine-babines. Sur la pointe des gouttes de sueur, il prit le chemin pour se rendre sur la montagne du Calvaire, derrière le presbytère. Passant près de l'église, la rumeur le rejoignit.

— Débarrassez-nous du TAUREAU! Amen!

Il grimpa jusqu'au faîte de la butte, à cet endroit où on est le plus proche du ciel qu'on puisse l'être. De là, en cette fin d'après-midi, il porta les lèvres à sa musique à bouche, puis souffla un air doux. Comme une berceuse.

— ♫

La mélodie montait en l'air lentement, comme une petite fumée d'encens. Comme une petite musique d'encenseur. Les notes grimpaient, s'accrochant aux cordes de la portée, grimpaient jusqu'à se rendre au soleil. Une musique si belle qu'on aurait juré que le soleil se laissait prendre au rythme. On l'aurait cru parce qu'il s'était mis à briller plus fort que d'habitude. Porté par l'air, il se laissait bercer en rayonnant de bonheur… Tranquillement, il descendait vers l'horizon. Il allait au lit, sous sa catalogne de montagnes, aveuglant toujours plus.

Babine jouait encore pendant que le ciel s'éclairait comme jamais on ne l'avait vu. Puis, au moment précis où l'astre posa sa tête sur l'oreiller, il éclata d'une dernière lumière. Un feu d'artifice qui teinta tout le ciel. Babine continuait de méloper, les deux yeux fermés bien dur, pendant que ce ciel devenait une immense toile rouge illuminée. Rouge, avec un restant d'orangé, comme sur un drap géant de toréador.

À travers les débris de sa pancarte, le TAUREAU vit le ciel. Ça vint le chercher au niveau du vexus scolaire. Beau défi! Il se renligna les cornes sur le poste, s'accota les pattes sur le trottoir, rua trois petits coups dans le sable, puis se précipita vers la montagne. Le torse bombé, la fumée sortant de partout, du nez comme du derrière, la bête voyait rouge.

Chargeant, à la fine course, accélérant toujours, le bœuf grimpait vers le ciel à emboutir. Les arbres tombaient devant ce cataclysme bovin. Cours, cours, fonce droit devant. La terre tremblait. La rumeur s'intensifiait dans l'église.

— Débarrassez-nous du TAUREAU! Amen!

Babine ne slaquait pas de siffloter. Le ciel, de se colorer. Le TAUREAU augmentait le pas jusqu'au trop. Même en montant. Au top, il frôla Babine dont la raie des cheveux tourna sur elle-même, puis, dans un ultime élan, il sauta dans le ciel.

***

Si j'avais écrit des chapitres, je crois que celui-ci aurait porté le numéro treize. Ça n'aurait peut-être pas été le seul, mais quand même. Un abonnement à la malchance. C'est d'ailleurs dans ce chapitre supposé que Babine y goûte pour une deuxième fois. Mais il ne faut pas s'en faire avec ça parce qu'il a été condamné à mort toute sa vie. Il ne se passait pas un mois sans que le fou ne soit lapidé.

Petit bonheur, tout de même : on n'a plus jamais revu le taureau à Saint-Élie. Après le saut final, Babine a descendu la côte pour s'installer sur le perron de l'église. Pour chaque personne qu'il croisait, il pointait le ciel du doigt croche. On y voyait encore des lambeaux rosés.

— Il va faire beau demain !

Depuis ce jour-là, la météorologie populaire d'ici n'en démord plus : quand le coucher du soleil est rouge, il fait toujours beau le lendemain. En souvenir de ce grand jour où le ciel nous réchappa du massacre. Il en est ainsi de toutes ces croyances qui permettaient de prévoir le temps par ce qu'on y lit. Les oiseaux qui volent bas, la lune qui est cernée, le vent qui vire de bord… Certains allaient même jusqu'à prévoir un an d'avance en lisant les signes du temps. Ti-Nord Blais, de chez nous, était de ceux-là. Il signait son almanach annuellement, avec cette précision qu'il ne se trompait qu'une fois sur deux[1].

De nos jours, les Madames Météo veulent faire la pluie et le beau temps. Pourtant, et on le note à répétition, rien n'est moins sûr que leurs prévisions scientifiques. Aussi, les gratte-ciel, le smog et la fumée des usines font en sorte que le ciel n'est plus accessible à tout le monde. On nous cache cette source des hauts savoirs. Ma grand-mère, quant à elle, disait qu'on ne devrait permettre à personne de cacher le ciel à ceux qui y lisent.

Comme récompense, je vous le disais et je n'ai pas l'intention de l'omettre, Babine a été condamné à mort. Cette fois-là, si je ne me

---

[1] À propos de la méthode de construction d'un almanach, voir annexe I.

trompe pas dans ce qu'on a dit à ceux qui me l'ont répété, ce fut la guillotine. Une guillotine-maison, un sciotte rouillé sur un brancard de flaube. La foule criait :

— La mort ! La mort !

La lame n'était pas affilée, mais ça faisait mal quand même. On laissa tomber le couperet plusieurs fois, jusqu'à lui blesser la bosse. Une soirée magnifique.

Le soleil, quant à lui, a pris de l'âge, de la maturité. Aujourd'hui, il se lève seul le matin, toujours à la même heure. Les journées sont égales… quoique non ! Il a gardé un peu de jeunesse et les journées varient encore. Mais si peu !

Par la peau des fesses

Pour que le rêve devienne ruralité!
Festival Graines d'automne

Saint-Élie de Castor, ni pour le cinq cennes, ni pour les dents longues, ni pour la queue plate, c'est mon village. Saint-Élie de Castor : qui vous ronge quand il vous manque. D'ailleurs, un des gros problèmes en ce qui a trait au manque, c'est la lacune. Ça ne laisse pas de trace, mais ça fait défaut. Comme dans tous les milieux ruraux. Il faut y vivre pour s'en rendre compte. Côté culturel, entre autres. Les villes regorgent de manifestations artistiques dans tous les domaines, alors que les coins en dehors restent en plan. Et ça ne date pas d'hier. Depuis les débuts, les localités éloignées doivent s'organiser par elles-mêmes pour s'offrir un accès à des événements quelconques. J'en connais plein qui s'y mettent d'épaule et de roue, un peu partout, pour renouer le pacte entre nature et culture.

Par chance que chez nous, ils eurent l'idée de la peine de mort. C'était capital. Ça nous prenait un divertissement pour passer à travers la lacune. Très tôt, dans notre histoire, se mit en place une cohorte à but non lucratif ayant pour mission de condamner souvent. Et pour éviter les dénombrements, il fut décidé d'un turc, à savoir qu'on exécuterait toujours la même tête-de-truc. Plutôt que de s'évertuer à chercher des persécutés en permanence et d'en venir à ce que tout le monde y passe, on préférait renouveler les modes d'extinction. Du coup, ça ajoutait un peu à la variété. Parce qu'on a beau changer de pendu à chaque fois, la corde devient vite lassante. En changeant de méthode, on s'assurait donc de ne pas user le modeste public.

Moi, bien évidemment, je n'ai pas connu ça. Mais reste que oui, ce fut. Puis pour moi, même si je n'ai pas connu, le fait de savoir que ce fut, c'est bien en masse. Les témoignages l'assurent, leur assurance en témoigne. C'est donc dire, si vous voyez ce que je veux...

Babine contribua à sa façon à l'essor culturel. Chaque fois son tour, sans rechigner. Il se prêta tout entier à la bonne marche des manifestations régulières. Les circonstances allant toujours contre lui, qui de mieux comme coupable. Toujours, tout était contre lui : la chance, les gens, la météo. Il choisissait de sortir que déjà le ciel s'obscurcissait. Et on ne se tannait pas. Plus ça allait, et plus les gens lui en voulaient.

Il s'acquitta de ses tâches cent fois remises. En souriant. Et c'est ce sourire, toujours incrusté dans sa face, même devant la mort, qui permit au malheur d'insister. La faute à Babine : une accoutumance.

***

Cet hiver-là, la sorcière du village tricota comme jamais. Elle usa jusqu'à ses antennes de télé pour faire mailles. Puis si tout le monde réussit à passer à travers le cataclysme, ce fut grâce à elle. La mère à Babine, avec ses talents d'artisane, tricotant comme une araignée, s'inventa de la laine avec les poils de chats, les cheveux et les barbes, les poils de d'sour de bras, puis encore. Le fil à retordre, la laine d'acier, le poil de la bête, tout fut récupéré. À la fin, mission accomplie, les mains, cous, pieds et têtes de la paroisse trouvèrent tous respectivement refuge dans les gants, foulards, chaussons et tuques de la bonne femme. Quand vint le temps de faire des mitaines au maire, elle était rendue à filer sa laine avec de la mousse de nombril[2]. Notre élu avait les mains au chaud. Pour ce tour de farce, la sorcière, on lui devait une fière chandelle par les deux bouts.

Cet hiver-là où il fit tant frette, notre vieux curé démontra des symptômes d'âge. On lui remarqua dès octobre une fragilité nouvelle devant les hoquets climatiques. Il endura en serrant les dents, mais ne manqua pas de se plaindre quand la bave lui dégelait. Miséricorde criante. On le voyait renfrogné sur lui-même, les mains plantées au fond des poches. L'étole enroulée autour du cou, juste pour dire s'il en sortait encore un bout de tête pour murmurer les bénissages légèrement. Et par réflexe seulement. L'hiver s'allongeait, et le curé en menait de moins en moins large. Non pas qu'il était feluette, mais l'âge et le gel ne font jamais bon ménage.

Vint le carême qui se pointa la face. Pendant ces quelques jours, le maire fit pénitence en prêtant ses mitaines en mousse de nombril au vieux curé.

— J'vous les prête jusqu'à Pâques.

---

[2]Voir *Dans mon village, il y a belle Lurette…* pour de plus amples détails.

Au chaud, les doigts de la personne regagnèrent de leur souplesse. Fier comme un pou sur son épaule, le curé reprit à qui mieux-mieux. Les signes de croix fusèrent dans tous les sens. Gymnastique mystique à tour de bras, jusqu'à s'en dérincher les épaules. Il lançait des «T» winter-proof à tout vent, comme pour combler un déficit spirituel accumulé. On aurait dit les choses redevenues. La promesse de Pâques ne s'en voyait qu'améliorée. Le curé semblait ressuscité d'entre les gelés.

Le frette n'avait pas cassé encore, puis un matin de messe ordinaire, on apprit que le curé venait de perdre ses paluches empruntées. Il avait donné toute sa messe les mains dans les poches. Le découragement acheva de démolir les bouts demeurés intacts malgré les privations de la paroisse. En plus que le carême tirait à sa faim : les forces manquèrent. La fête de Pâques avec un curé sans bras, ça scrapait toute chance de revie.

— Ça doit être la faute à Babine, pensa Spontanément.

En délégation, sans se faire prier, ils allèrent rencontrer le fautif.

— Là, à cause de toi, le vieux a perdu ses mitaines. Il va falloir que tu les retrouves…

Aucune réaction. Mais Babine se demandait pourquoi lui, à mains nues, se voyait accusé de la perte des moufles du curé. Peu importe.

— L'important, c'est pas que tu comprennes. L'important, c'est que t'écoutes !

— On le sait, nous z'autres !

Alors le fou prit sur lui de retracer les laines de son berger. Il siffla son chien sans rouspéter, puis il prit le chemin avec les autres vers le presbytère.

***

Babine n'était pas grand-chose. Presque rien. Mais ça ne le dérangeait pas. Quand on n'est rien, on n'a même pas de quoi pour s'en rendre compte. Le peu qu'il était, il le partagea quand même pendant quelques années avec un meilleur ami de l'homme. Lui qui faisait fi de chien pour la balance, il s'était trouvé un minimal de compagnie.

— On a toujours un plus petit que soi !

Le chien du fou, c'était un croisement de bâtard tacheté dont les racines de race remontaient à la Genèse. Assez haut sur pattes pour ne pas se mouiller la bedaine. Un compagnon docile, pas jappeux sauf en cas, qui ne décollait jamais de son maître. Sympathie réciproque, toujours l'un dans l'ombre de l'autre, la queue entre les deux jambes. Ce chien-là servait souvent de point de contact entre les habitants puis le fou.

— Salut bon chien !

Puis c'est Babine qui envoyait la main. Lance la balle, puis le fou se faisait un devoir de la rapporter si son meilleur ami ne la courait pas.

Ce bâtard-là avait ceci de particulier que son odorat pouvait sniffer juste. Il avait appris, de Babine et de sa mère, à prêter attention à tout ce qui sent. Même à dix kilomètres à la ronde. D'ailleurs, pour les objets perdus, il n'était pas égalé ni galeux. Il avait rapporté de nombreux égarements. Il suffisait de lui offrir à sentir une chose reliée à ce qu'il fallait retracer pour que, le temps de le dire, il vous le ramène. À croire qu'il volait lui-même les affaires. Il avait retrouvé plusieurs chapeaux perdus par les jours de grand vent, deux sacoches, et encore. On lui faisait renâcler les chevaux drette sur la tête, il vous ramenait l'attelage. On lui faisait renifler un utérus, il retrouvait le bébé. Ou l'inverse. Assez surprenant, parfois même un peu déroutant pour l'ADN. Un peu à la mode des douaniers d'aujourd'hui, dans les aéroports. Un chien de douanes à l'époque des canots volants. À quelques différences, sans plus. Cette fois-là, entre autres...

***

La troupe arrivait au presbytère. Le curé vint ouvrir. Trois, quatre entrèrent en dedans, tenant Babine par le chignon du cou, par la bosse. Ils le tenaient, pour montrer leur supériorité, pour faire semblant qu'ils avaient eu à réussir alors que Babine n'avait eu qu'à échouer, simplement.

— Laissez-moi c'te chien-là dehors!

Mais il fallait le laisser rentrer.

— Il va vous sentir les mains, m'sieur l'curé, puis il va vous les rapporter au pif.

Ils expliquèrent au vieux qui, de bonne foi, tendit les bras longs. Il présenta ses paumes blanches devant le museau. La truffe huma en masse, comme pour imprégner son cerveau de l'odeur rare de ces mains si propres. Quand il eut assez aspiré, le chien fut inspiré. On sortit sur la galerie puis Babine grogna pour lui dire de partir. L'ami de l'homme déguerpit en trottant. Comme si ce n'était pas assez rapide, le forgeron qui passait par là l'embraya d'une vitesse plus haute. Un bon coup de pied dans le derrière, ça accéléra les affaires. Au détour du chemin, le bout de la queue disparut. Les gars attendirent un peu, croyant qu'il livrerait en trente minutes. Ils choisirent bien vite de rentrer au chaud dans le presbytère, en prenant soin de laisser Babine dehors…

— Tu le siffleras de temps en temps pour qu'il se grouille le cul !

Au grand vent, toujours, Babine faisait le piquet sur la galerie. De temps en temps, il y en avait un qui jetait un œil menaçant par la fenêtre. Au bout d'une heure, le chien ne revenait pas.

— Où c'est qu'il est ton rat ? S'il retrouve pas les mitaines, fie-toi sur moi que m'as le retrouver ce chien-là !

Il avait dit ça en chuchotant avec des accents assez forts pour faire croire que la menace était réelle. Babine ne bronchait toujours pas, pour éviter de perdre sa chaleur. Confiant, il scrutait les alentours à travers les larmes de ses yeux trop soufflés. La tête cachée dans les épaules, il espérait le retour de son renifleux.

Le temps passa lentement. Comme si le niveau de congélation ralentissait la circulation du sablier. Du même coup, Babine se sentait les pattes engourdir un peu.

— Quand le coq chantera, tu m'auras reniflé trois fois !

Après la nuit, le jour est revenu. Ce fut très rassurant. On prend ça pour acquis, mais on oublie parfois d'envisager l'effet d'une nuit qu'aucun jour ne suivrait. Comme quoi c'est bien incroyable que tout pourrait surviendre. L'aube, donc, redonna un regain de vie à Babine. Durant la nuit, il s'était permis de figurer plein d'affaires. Il en était venu à se dire que ce pauvre pitou-là faisait bien de ne pas revenir s'il ne trouvait pas les mitaines. C'était aussi bien comme ça.

Il l'avait imaginé revenant bredouille. Pour sûr, c'est avec son poil à lui qu'on aurait fabriqué de nouvelles mitaines au curé. Son pauvre chien ! Tout nu, dans le frette… Il l'avait même cru gelé, mort dans un banc de neige, pendant que les bénédictions de sa fourrure réchaufferaient les cœurs durs. Aussi, il pensait que peut-être son chien n'avait pas assez bien senti les mains du curé. La nuit et le jour, selon l'espoir. Babine craignait le pire. À moins soixante degrés, tout de même, il gardait son sang froid.

***

Au bout de deux nuits et trois semaines, comme quoi rien n'est acquis encore, les menaces se firent plus graves. On parlait de fabriquer des mitaines de cuir au curé.

— M'as t'arracher la peau des fesses !

Puis Pâques s'en venait toujours, au fil d'attente. Babine était convaincu que si le fidèle compagnon ne ramenait pas son dû, on lui taillerait son propre derrière au Vendredi saint pour être sûr que le curé puisse donner son sermon à l'aise.

Comme de fait. À l'avant-veille du grand jour, on fit rentrer Babine sur la fin de l'après-midi. (Pour avoir le temps de lui dégeler les chairs.) Sur les entrefaites, le boucher arriva avec son assortiment de coutellerie, puis demanda à ce qu'on couche Babine à plat-ventre sur la table de la cuisine. Une affaire de rien, puis le fou fut déculotté. Le boucher s'élança, étampa deux bonnes claques sur les foufounes tendres. Quelques secondes seulement puis la marque des mains rougit sur la peau. La trace des mains, comme des patrons à suivre sur un tissu rose. Il suffisait de découper suivant la forme des empreintes. Ne resterait plus ensuite qu'à coudre ça ensemble pour faire des mitaines de secours.

Babine ne braillait pas. De glace. Il souriait figé. Sa respiration même n'avait pas changé. Et au moment où le boucher allait pour faire une première entaille, ça gratta sur la porte. Rien d'acquis, mais quand même certains éléments de conte assez tenaces, dont cette tendance à tout faire arriver au dernier moment.

— Qu'est-cé que c'est ça?

— Montez-lui ses culottes, faut pas que personne voie ça!

Le curé ne fit qu'entrouvrir. Le chien de Babine se faufila dans l'entrebâillement de la porte, la queue branlante, tout heureux d'avoir accompli sa tâche. Il tenait son butin dans la gueule. Il s'avança au centre de l'assemblée, puis, au pied de la soutane, il posa sa trouvaille.

***

Aucune erreur: le chien avait bien senti les mains du curé. Il avait retrouvé… à l'odeur. Son retard? C'était le juste retard des choses. Peut-être qu'il avait eu de la misère à rentrer dans l'école. Le chien avait rapporté au curé les bobettes de la maîtresse. Drôle de lien d'odeur. Il y a des affaires de même qui s'expliquent de moins en moins, quand on y pense.

Comme récompense, et pour cause, Babine fut condamné à mort. Sur le coup de l'émotion, le curé ne pensa même plus à ses mitaines en peau de fesses. Tout ce qui l'occupait tourna en persécution. Cette fois-là, si je ne me trompe pas, ils l'ont rependu. Chance ou malchance? La corde a recassé.

L'ancienne église de St-Élie qui a brûlé en 1920.

LE DRESSEUR DE VENT

Si le Bon Djeu était pas obligé de le faire, le monde,
il était encore moins obligé de le faire de même.

Antonine Maillet

Saint-Élie de Garçon, où l'on se connaît par son petit nom, se reconnaît par celui de son père et se salue pour ne pas l'oublier, c'est mon village. Un village où il faudrait à mon père dix mains pour répondre à tout le monde qui lui en envoie une. Saint-Élie de Garçon : où l'on est toujours le fils de son père. D'ailleurs, et ça n'a rien à voir, mais je suis entièrement d'accord avec vous sur le fait que certaines affaires ne devraient peut-être pas être mentionnées. Le problème, c'est juste que si on en coupe trop, on ne comprendra plus toute l'histoire. Comme ça, donc, je prends sur moi de dire autant que je peux, puis vous pouvez choisir de lire ou non certains extraits. Ce qui nous intéresse ici est d'ailleurs beaucoup plus ce qui est dit que ce qui est tu.

Certains signes ne trompant pas (je me demande toujours lesquels), le vieux curé ne passa pas l'hiver. Et contrairement à ce qu'on pourrait croire d'emblée, il ne mourut pas de frette, mais bien de chaleur. Selon toutes les hypothèses que tendent à soutenir les rumeurs, il brûla avec l'église de bois d'avant celle-là. Les cloches de feu sonnèrent dans la nuit d'hiver d'un tintement clair qui réveilla les chaudières des habitants. La fournaise étira la langue trop loin, l'église fut réduite en cendres que le vent emporta comme une montagne de souvenirs en pourde. Ne restait plus, de tous ces moments partagés dans la voûte de petites planches, que des braises chaudes et fumantes. Le curé y fut consumé, croyait-on, car depuis la nuit de ce grand feu, on ne l'a plus revu. Puis l'Évêché nous consola avec un curé neuf, bien repassé, sans un pli sur la soutane. Il arriva sur le pouce, s'installant dans notre village sans clocher, comme un capitaine sur un bateau sans voile. Mais l'idée germa vite et trouva preneurs: le chantier de construction de l'église actuelle se mit en train l'été même. En corvées organisées, les bras donnèrent nerfs à la tâche. Chacun y allant de son talent, inutile de le dire. Les récits de bâtissage d'églises en ont assez raconté à ce sujet sans que j'en rajoute.

Régulièrement, pour l'occuper entre deux raclées, on cédait à Babine les ouvrages les plus ardus. Pour ne pas qu'il perde le tour. Pour se le garder dégourdi. Et comme ses droits étaient croches, on abusait du privilège d'en profiter. Chaque chapitre amenant avec lui son lot de sueurs, je vous jure qu'il n'avait pas le temps d'ankyloser. On se le conservait remuant. Quand c'était dur et gratuit, ça lui revenait de droit. Ou de gauche. Ou des deux côtés, mais ça lui revenait. Sur la gueule, de toute manière.

Au moment venu, après la construction de l'église, de grimper en l'air pour installer la girouette, ce fut l'homme exprès. Un beau coq de cuivre béni sur la broche, luisant au soleil. Le forgeron Riopel avait sculpté son poulet depuis des semaines, se donnant une belle excuse pour ne rien faire de trop forçant. Évidemment que les attentes étaient grandes, mais, enfin, il dévoilerait son œuvre-à-la-coq après la cérémonie officielle du coupage de ruban. Ensuite, pour se divertir, on procéderait à l'ascension de Babine, chargé de l'empalement. Pour se rendre d'à terre jusqu'aux cloches, pas de problème. Rien qu'à grimper par le jubé jusqu'aux échelles à l'intérieur, ensuite dans le grenier, puis encore plus haut, pour déboucher dans la nacelle des cloches. Le plus agréable, ce serait la portion à parcourir pour se monter de là jusqu'au pic tout en haut. Sans corde, sans gants. Sur la tôle glissante de la partie la plus forte de la pente. Juste assez pour créer le suspense.

Comme de fait, le curé neuf annonça la cascade prévue. Les adeptes restés devant l'église suivirent l'escalade du regard, en vertige à l'envers. Babine montait depuis quelques bonnes minutes, le coq accroché au cou. Il glissait parfois, pour laisser échapper un «Oh!» à la foule contre-plongée.

— Vas-y, Babine!

En l'air, on le voyait tout petit. La girouette avait les allures d'un moustique. Babine, bien que loin en haut, entendait les cris du bas. Ça lui montait aux oreilles juste assez fort. Ça l'encourageait. Mais il fallait se contrôler, pour éviter de déraper.

Quand finalement Babine atteignit le zénith, il enroula le bras autour de la partie la plus fine de la pointe clochère. Posant le coq debout sur la tige, il regarda l'horizon et se sentit rendu. Là. Il y avait du ciel partout, jusqu'à lui. Du ciel comme ce n'est pas permis d'en voir dans deux seuls yeux. De l'azur tout le tour de la tête. Un front bleu. Les spectateurs criaient toujours, en bas, mais les paroles manquaient de force. Rien n'arrivait plus à le rejoindre ci-haut perché. Il tenait dans son bec un nuage.

— Tu le pogneras comme il faut!

Ça lui effleura l'esprit. Il n'y avait pas pensé avant mais ça lui revenait. Quand on lui avait expliqué sa mission avant de le laisser filer en l'air, on lui avait commandé de visser de toutes ses forces. Il en avait déduit que le coq risquait de s'envoler. Il serra donc la pine plus fort dans sa main. S'enlignant sur le trou, il fit pivoter la girouette sur son point d'équilibre. Un demi-tour seulement. Puis il hésita, mais ne tourna plus. Dans sa tête à lui, il se rassurait ainsi en pensant que si cet oiseau de fer s'envolait, il n'emporterait pas l'église avec lui. On avait mis tant de tant de temps à crever pour ériger le temple. S'il fallait qu'un simple battement d'ailes du coq, parce que trop vissé, emporte tout l'ouvrage d'un coup. Non! Valait mieux prévoir. On a vu trop de cathédrales partir en catimini, trop de monuments disparaître sur la pointe des pieds. Notre église resterait. Le demi-tour était joué.

Sur ces réflexions, Babine perdit son appui et coula tout du long du clocher. Avec l'élan, il ne put s'arrêter à temps sur la frise. Projeté dans le vide, pas loin de soixante pieds. Il entendait l'assistance qui applaudissait. Par chance pour sa santé, un coin de ses pantalons se coinça dans la canne de la statue qui habite la niche de la façade. Soixante pieds en courant, ça se fait bien, mais soixante pieds en tombant à pleine face dans la garnotte, ça fait beaucoup moins de jaloux. Il pendait donc en l'air, sauf. Les gens riaient, en redemandaient.

Au bout de quelques minutes, déjà ennuyée de le voir ne rien faire, pas même se débattre, la foule se dispersa. Quelques-uns espérèrent encore un peu, lui lancèrent des roches pour le faire paniquer. Mais il se balançait tranquille, un sourire pendu aux lèvres. Alors les derniers partirent un à un, retournèrent à leurs moutons. Il fallut attendre la nuit pour que le tissu déchire et que Babine s'écrase par terre. Mais il n'y eut personne pour apprécier le saut de cet ange.

***

La construction de l'église, je ne le répéterai pas, employa les forces de chacun. Pendant des mois, en vagues de quarts et âmes, chacun y mit du sien. Enfin, avec la girouette posée ce dimanche, c'était la cerise sur le sunday. Toutes les ressources naturelles et surnaturelles ayant été épuisées dans l'érection du monument, on voyait enfin le bout de la lumière. Pour la girouette, pénurie obligeant, il avait fallu faire fondre jusqu'aux balles de fusil pour s'inventer suffisamment de métal. Enfin, après tant d'incertitudes, le curé neuf jouissait du nécessaire pour reprendre le rythme des messes paroissiales sous son toit flambant neuf. Enfin, mais pas pour longtemps.

Évidemment qu'avec la girouette vissaillée trop peu, ça n'allait pas tourner rondement. Comme de fait, dans la journée qui suivit, le vent vira de bord. Ce fut donc chose faite que le coq se libéra, s'esquiva dans une rafale. Instantanément, l'œuvre du village redevint inutilisable parce qu'il s'ensuivit que sans son église complète jusqu'en haut, le curé neuf se refusa d'officier. Pour lui, un pic sans coq n'annonçait pas mieux qu'une salle de bingo. Aussi, il s'abstiendrait de célébrer tant et aussi longtemps qu'on ne remettrait pas de chapon en place.

On s'empressa d'aller demander au forgeron de cuisiner un nouveau poulet, mais il s'excusa en avouant avoir épuisé ses matières premières jusqu'à la dernière. Ne lui restait plus rien pour en faire un autre. Hormis quelques clous, et le strict minimum pour répondre aux réparations d'outils et de ferrage, l'inventaire frôlait le vide. La prochaine livraison ne viendrait pas avant le printemps suivant. Aussi, rendus à l'automne que nous étions, le curé neuf laissa se développer la rumeur selon laquelle l'église resterait fermée jusqu'à la fonte des neiges, jusqu'au prochain arrivage.

Déjà six mois que la quotidienneté dominicale branlait dans le manche à cause du grand feu. Si en plus on ajoutait six mois à l'agenda, ça finirait bien par prendre les allures d'un an sans pratique domiciliaire. Un an à se revaucher sur les messes des localités avoisinantes. Ça grichait des dents et des gencives. Se passer des messes un hiver complet? On ne tiendrait pas le coup. Le sort de mon village commençait à sentir mauvais. Le mois des morts sans célébration! Et Noël sans messe! On n'osait même pas y penser. Noël noir! Qu'il faudrait en plus aller s'humilier à l'extérieur alors qu'on venait de terminer notre cathédrale, la plus belle de la région. À qui la faute?

***

Plutôt que de le condamner sur le coup, on lui mit sur le dos de retrouver quelques bribes métalliques afin de rassembler suffisamment de matériel pour créer une nouvelle girouette. Quand on lui présenta la mission, il tendit spontanément sa ruine-babines, comme pour montrer que le métal des petites hanches suffirait peut-être à redonner au vent sa direction.

— C'est pas un poussin qu'on veut !

Ça en prendrait plus. Beaucoup plus. Les accusations portaient lourd, et Babine n'avait pas plus de métal que personne d'autre. Puis les jours qui suivirent n'apportèrent pas clé à l'impasse. Cette fois-ci, quand bien même on avait un coupable, il n'apparaissait aucun dénouement possible. Comme un problème bien cerné, sans solution ni mélange. Début décembre, l'église était toujours fermée, sans couronne. Noël s'en venait, nu-tête.

Babine, à l'insu et à contrecœur, décida finalement de consulter à nouveau le livre de recettes magiques de sa mère. Depuis cette histoire d'amour où les conséquences avaient été terribles, il avait résolu de ne plus s'y laisser ensorceler. La veille de Noël, pourtant, il passa outre les hésitations et interdictions.

Il feuilleta le grimoire jusqu'aux pages latines. De toute manière, comme il ne savait pas lire, ç'aurait même pu être de l'anglais que ça n'aurait fait aucune différence. Il rassembla sur la table de la cuisine quelques ingrédients domestiques et une belle dinde de Noël. Il posa un chaudron sur le feu, puis procéda à une mixture étrange. Mélasse et pieds de cocognes, couennes de pommes et pépins de cochon. Surtout, beaucoup d'espérance. Et il ajouta une canne de pourde sur laquelle il était marqué : BAUXITE.

Le tout brassé, ça se mit à bouillir. Babine surveilla sa recette de près. Comme un alchimiste de pourde en or, il attendit les résultats de sa cuisson. Et ça mijota. Pendant des heures. Sans arrêt. Bientôt, la concoction prit des teintes rougeâtres, puis grisâtres dans l'âtre. Une potion argentée. À ce moment, il versa son liquide dans un moule à gâteau. Dans le temps de le dire, il empoigna sa dinde par les pattes et la sauça dans son jus métallique.

***

Au soir du vingt-quatre décembre, tous les gens se massèrent sur le perron de l'église. Le monde avait pris la décision de fêter dans leur propre village. Et si les portes ne s'ouvraient pas, ils attendraient dehors. Pour sûr que personne n'irait s'abaisser jusqu'à célébrer la grand-messe chez les voisins. L'humiliation puis la diarrhée, ça fait partie de ces choses-là qu'on préfère purger dans le confort de chez-soi.

Et le miracle se produisit. À minuit pile, des lueurs au clocher firent tourner les têtes en l'air. Babine était là. Jouqué sur la crête, avec une dinde chromée à la main. Il tenait une brillance comme jamais. On aurait cru voir l'étoile des Mages en personne. Les gens applaudirent, et les portes grincèrent. Sous la protection de la girouette neuve, ce fut la plus belle des messes de minuit à vie et l'église fut pleine au bouchon.

Quand vint le temps de chanter la gloire, tout le monde se leva, torse bombé, pour entonner d'un même souffle. Babine, du fond de la nef neuve, cria de toutes ses forces, au dernier refrain.

— GLORY ALÉLUMINIUM!

Puis on le condamna une fois de plus, pour outrage à la naissance. Si je ne me trompe pas, ce fut la chaise électrique. Pour suivre la mode. On n'avait pas le courant, alors on s'inventa une chaise à l'huile. Un vieux set de méchouï amanché sur une chaise berçante. L'équivalent d'électrocuter un homme sur une batterie neuf volts. Au bout de trois jours de vent nordet, le maire du village voisin vint demander clémence parce que ça sentait la dinde rôtie jusque chez lui. De toute manière, il était assez mort pour cette fois-ci.

Roger, le sonneur de cloches.

Il faut semer les uns les autres

Pouce vert,
mais pouce égal!
Baptiste Lagraine

Saint-Élie de Gastro, pour être passé à travers les grandes épreuves, c'est mon village. Un village riche en fumier de langues qui fourchent, où poussent les histoires comme le chiendent. Saint-Élie de Gastro : terre de roches riches, contrairement à elles-mêmes. À preuve, cette histoire qui naît. En fait, elle ne naît pas vraiment parce qu'elle précède, en ce sens. Mais son rapport apparaît. C'est comme si les nouvelles n'existaient pas avant les bulletins. C'est fausseté. Loin d'être coulée dans le ciment, mais n'en demeure pas moins. Au contraire. Pas besoin de l'écrire pour qu'elle existe mais ça aide à se faire connaître. D'ailleurs, si on ne le dit pas, plusieurs ne le sauront jamais. Et l'ignorance étant considérée comme l'ennemi du savoir, il vaut mieux tout mettre à jour. Voilà. Je n'y comprends rien, mais j'en suis convaincu.

Il s'avère bon de noter, maintenant qu'on se connaît, que Babine avait un problème avec ses vertèbres du haut. Peut-être à cause de sa bosse, ou alors pour d'autres raisons obscures. Chose sûre, ses cervicales le privaient de souplesse et ça avait pour effet de réduire son potentiel de mouvements du cou. Pour lui, impossible de tourner la tête. Il ne pouvait que hocher devant-arrière. Que hocher oui. En plus que ses traits de figure emprisonnaient son sourire à perpète, on avait toujours l'impression qu'il agréait. Suffisait donc de lui poser la bonne question pour qu'il soit d'accord. Et quand on lui offrait une job, tel qu'il fut dit avant, il se voyait incapable de dire non. C'est ainsi qu'il écopait de toutes les besognes. Pignon sur rue, parce qu'il y traînait plus souvent qu'à son heure. Il faisait des commissions et omissions, des ouvrages de raclage et pelletage. On le faisait sonner les cloches et creuser les fosses de cimetière. Des fosses personnalisées qu'il découpait selon les clients. Et il ne s'absentait à aucun service funéraire. On le voyait à tous les décès parce qu'il se disait que le jour où son tour viendrait, ce serait plein. Docile, serviable, utile.

On comprendra que les gens qui l'employaient bénéficiaient de si peu de moyens que ce qu'ils auraient pu offrir en salaire eût été choquant. À l'unanimité tacite, dès le début, ils choisirent donc de ne pas payer les services du fou. Ainsi, à son insu, Babine se fit volontaire et bénévole. Personne ne le dédommagea jamais. Personne sauf lui. Le seul à le faire, ou à peu près. Un dénommé, si je ne m'amuse. Il provenait de Sainte-Marcelline-de-Kildare, dans la Naudière. Et bien qu'il n'usa des bons services de Babine qu'une fois l'an, il ne négligea jamais de lui verser compensation.

Son nom était Baptiste, comme dans vingt-quatre juin. De passage à tous les printemps, comme une hirondelle, pour vendre des semences aux cultivateurs, il faisait tournée dans toute la Naudière et la Mauricie. Chaque fois, il ne manquait pas de s'arrêter une journée chez nous pour offrir ses graines.

— Pommier arrivé, pommier servi !

Baptiste Lagraine Prop., de son nom enregistré. On l'entendait venir, au trot. Travailleur autonome auto-attelé, itinérant et attendu, il trimballait avec lui son gréement de promesses de fruits et légumes du jardin. Les hommes étant occupés à labourer au moment où il passait, il revenait aux femmes de négocier la graine à Baptiste. Ce qu'elles ne dédaignaient pas.

Ça devint une tradition. Au jour dit, toutes les filles, mères, tantes, sœurs, nièces, demoiselles et pouses se rassemblaient dans le stationnement de l'église pour attendre cet homme à la graine tant prisée. Distribuées en haie d'honneur, elles ouvraient le passage à ce courailleux des grands chemins. Lui qui parcourait à l'enjambée des milles de garnotte depuis tant d'années présentait une poitrine toute en muscles découpés. Toujours torse nu pour l'effet, il offrait aux yeux de ces femmes avides un teint bronzé sur silhouette robuste. Un regard perçant, comme le rocher mais au participe présent, achevait de peaufiner son charmeketing.

Une fois dételé, du centre du cercle des fermières ouvertes, il ôtait les volets de son chariot pour étaler, à la vue de toutes, son stock nouveau. Un étalage de pépins d'illusions. Il tenait en inventaire les classiques de radis, betteraves et cocognes. Toutefois, il gardait une large part de son présentoir à des expériences nouvelles, exotiques. Melons d'eau, melons miel, papermannes… Et il m'apparaît bon de vous dire que oui : nous fûmes parmi les rares habitants du parallèle à cultiver la papermanne trois couleurs en grappe. Nous fûmes parmi les rares à semer de la baloney tranchée grimpante. Ferdinand

Garceau, agronome ignoré, trouva même le tour de récolter des tranches carrées de ce steak de chasse. Et tout ça, dans les règles de lard. Cent pour cent pur.

Grâce aux bonnes fournitures de Baptiste, on cultivait des rangs de patates rondes, patates pilées et patates frites. De quoi être fiers. Et même si la terre de roche gardait son cœur de pierre avare sur le légume, les habitants de mon village s'entêtaient à y faire pousser de l'espoir.

— Il faut semer les uns les autres! criait le curé.

Et le fumier se vendait à prix d'or, avec la fameuse bénédiction annuelle des tas de marde dont les souvenirs hantent mes suppositions, pendant que Baptiste entretenait la confiance en prétendant tout haut que le fruit n'est pas dans la terre ni dans la graine, mais dans la passion qu'on met à les marier ensemble.

Homme d'affaires malgré ses apparences désinvoltes, il prétendait que si les épiciers vendent les pois au poids, il en découlait directement qu'il était dans son droit légitime de vendre sa graine à la graine. Plutôt que de négocier en sachet, il vendait donc au nombre. On voyait les clientes commander deux cent trente graines de telle sorte, ou trois cent cinquante de telle autre. Et il comptait ses miettes patiemment, une par une, avant de les remettre aux achetantes excitées.

Évidemment que pour les graines de taille convenable, ce mode de vrac ne causait pas trop de problème. Toutefois, quand on tombait dans la salade en feuille, ou ailleurs par là, ça se corsait. Des spores! De la poudre! Ça prenait donc un niaiseux pour compter ça. Et Babine entrait dans le jeu à ce moment-là. Pour faire le compte. Pendant toute la journée, il remplissait des sacs de commencements minuscules. Puis, au soir venu, en guise de merci, Baptiste lui versait son salaire. Il ne réglait pas en argent sonnant, mais lui donnait une graine d'exception. De ses tiroirs de chariot, il tirait un échantillon rare, plus souvent qu'autrement un démonstrateur que les compagnies lui fournissaient. Une année, ce fut un chapelet tout cassé. Et Babine avait semé les Ave sur le chemin ouvert par le taureau sur la montagne. Il y poussa un chemin de croix qu'on entretient encore. Des belles stations qui profitent, rendues énormes, vitrées même.

Cette fois-là qui nous concerne, Babine hérita d'une montre. Lui qui n'avait jamais vu ça : une montre de poche avec chaînette en or, une petite boussole qui change de nord à toutes les secondes, qui fait tourner en rond. Il sema sa montre tel qu'indiqué puis, à la fin de l'été, il récolta une horloge. Un meuble imposant. Un coffre de bois grand comme un cercueil, avec un cadran, des engrenages complexes, un pendule qui branle, et ce bruit de dong imprévisible.

À l'appel de ce son nouveau, tout le monde se rassembla autour du progrès. Jusque-là (et on en est quand même à la page 71), personne n'avait jamais eu l'heure au village. Et si le curé et la madame du bureau de poste possédaient leur sablier, la grande majorité continuait de se fier sur leur soleil. On ne savait ni l'heure pile ni le jour exact. Alors malgré le fait que l'horloge ne marqua pas l'heure juste, tout le monde fut bien content. Quand t'as jamais eu l'heure, ça fait bien ton affaire de l'avoir, à la bonne ou pas. Puis de toute manière, on sait bien que l'important, ce n'est pas que tout le monde connaisse la bonne heure, mais plutôt que chacun s'entende sur la même. Suffit de voir les Îles-de-la-Madeleine. Ils décalent toujours un peu. Mais ce n'est pas grave. Ils n'ont pas l'heure exacte, mais ils se fixent sur la même. Comme ça, avec une seule horloge au village, pour sûr que personne n'allait s'astiner là-dessus. Rien à craindre pour le bonheur.

Si l'heure indiquée par la patente ne fut pas remise en question, la propriété de l'instrument nourrit spontanément la controverse.

— C'est à moi!

— C'est à moi!

— Je l'ai vu le premier!

Il fallut s'en remettre au curé neuf qui, infaillible, trancha la question.

— C'est à moi!

On plaça donc l'horloge au salon du presbytère. Ainsi, comme la porte ne se barrait pas, tout le monde pourrait avoir accès à l'heure quand bon lui semble. Consolation générale qui élimina tout prétexte à la rouspette.

***

Le mécanisme slaque de cette horloge biologique n'alignait jamais deux secondes de même durée. Tic-tac-tic…tac-tic… Le temps élastic-tac. Une journée pouvait ainsi durer entre seize et trente-sept heures sans problème. On en vint rapidement à la conclusion qu'il s'agissait là d'une horloge grand-père. Elle marquait donc l'Ancien Temps.

À un moment donné, il n'y eut plus de tac pendant une semaine : tic-tic-tic. Il fut six heures trente pour sept jours en ligne. Pas grave ! De toute manière, les habitants ne travaillaient pas avant huit heures. Et le temps se laissait prendre, mou, comme les cadrans de Dali. Le forgeron découvrit même avec ce nouvel appareil que la deuxième semaine du mois de novembre dure près de trente jours. Lui qui buvait une once de gin chaque soir avait dépensé près d'un quarante onces avant que le temps ne change de semaine. Avant ça, on n'avait jamais compris que certaines bissextilités subtiles pouvaient s'infiltrer dans le calendrier d'autant de manières.

Seul désagrément : parce que le système datait, il fallait recrinquer l'horloge souventes fois par tranche de temps. À savoir à qui reviendrait la tâche ? Babine fut élu à l'automaticité et accepta d'un coup de tête. Comme un Roger Bon Temps. On lui remit donc la clé en forme de papillon en lui expliquant qu'il fallait remonter le mécanisme régulièrement. Autrement, le temps allait s'arrêter, et là, on ne compte pas les conséquences que ça engendrerait.

À partir de là, Babine passa au presbytère trois ou quatre fois par jour pour aller planter sa clé dans le trou du chiffre huit inscrit en romain. Le trou dans le VIII. Il y avait bien quelque chose qui lui échappait là-dedans, mais peu importe. Il tournait quelques tours, et voilà. L'instant filait doux, l'éternithé s'infusait en poches de Salada.

***

Un jour, une lettre sans code postal arriva au village. La madame du bureau de poste rasa de perdre connaissance devant la poche de malle aussi chargée. Mais comme le curé était à peu près le seul à savoir lire, elle en déduisit rapidement que ça lui revenait.

Cette missive venait directement de Nicolet. De la part de la nièce de notre homme de robe. Il faut d'ailleurs en profiter pour spécifier que personne ne soupçonnait le curé neuf d'avoir, en plus de toutes ses qualités, une nièce étudiant au Collège des Petites Sœurs de l'Assomption.

Mon Oncle, je m'en viens passer ma
dernière semaine de vacances chez vous.

Et ça se signait, en lettres bien tournées : *Rose*. On apprendrait plus tard qu'elle portait bien son nom. Pas à cause de la fleur, mais à cause de la couleur et de ce à quoi elle fait penser.

Le curé n'eut pas le temps de faire reply pour lui dire qu'il ne voulait pas la voir, que déjà elle retontissait dans une carriole de luxe. Une voiture noire aux vitres teintées, sculptée dans un unique bout de bois d'ébène. Le vœu de pauvreté des Petites Sœurs de l'Assomption n'avait pas l'air de nuire à la flotte.

— Ah ! La petite maudite !

Sorti de chez lui avec un drap sous le bras, le curé sauta dans la diligence, enroula sa nièce dans la couverture, puis la fit monter au troisième étage du presbytère. Il la poussa dans la chambre de derrière, qui donne sur rien parce qu'elle n'a pas de fenêtre, et ferma la porte vitement.

— Bonne semaine !

Le front en sueur, il redescendit et jeta un œil au carreau. Il avait procédé assez vite pour que personne ne se doute de cette présence nouvelle chez lui. Personne ne savait, donc. Mais quelque chose que personne ne sait, à Saint-Élie de Gastro, ça s'apprend très vite. Je vous jure que la rumeur n'a pas besoin de mesurer des milles pour se rendre dans toutes les maisons. On a les tympans vifs à la captation des cachotteries.

Comme de fait : Rose ne fut pas sitôt déroulée de son drap qu'une rumeur réussit à se glisser dans une craque de brique de la chambre. Par un joint qui manquait de ciment à coltailler, un cancan, de quelques pouces seulement, s'envola pour aller butiner dans les oreilles, se nourrir de cire. Il visita les ouïes en répétant sa nouvelle.

— La nièce du curé est au troisième du presbytère.

Deux jours seulement, puis le cancan prit l'ampleur d'une nouvelle.

— Y a quelqu'un qui va visiter la nièce au troisième du presbytère.

Puis atteignit la taille d'un fait.

— Le septième ciel est rendu au troisième du presbytère.

La masturbation a beau rendre sourd tant qu'on veut, notre curé était quand même dur de la feuille. Et malgré tout, l'inévitable finit bien par lui rentrer dans l'oreille à pleine pine. Ce jour-là, la rumeur s'en venait sur la rue Principale à cinquante milles à l'heure. Le curé neuf, infaillible, donc traversant sans regarder de chaque bord, avait seulement un pas de posé dans le chemin que : BANG !

— Septième ciel au troisième !

Cette vibration sur son tympan déclencha une glande au cerveau qui stimula un transfert de synapses encéphalocrites ou quelque chose de même. Comme il fut noté dans certains exposés — et si ce n'est pas déjà fait, il doit y avoir moyen de s'arranger pour —, cet échange interne entraîne rapidement la mise en marche des muscles de la colère et de l'esprit de vengeance. Comme de fait, et à preuve que mon raisonnement se tient, le curé eut la glande défoncée et se jura de prendre le coupable. Écrasé à pleine face dans la garnotte de la rue Principale, juste au pied de la côte, il mijota représailles à la mesure de son assommage.

Pour mener sa vengeance à terme, tout prime abord, ça lui prenait un espion qui lui permettrait de découvrir l'identité du visiteur coupable. Il fit donc appel à Babine.

— Tu vas te placer dans le buisson. Cache-toi. Grouille pas.

Il indiquait du doigt la touffe d'arbres. Un arbuste ancêtre de ce que l'on voit comme la haie d'aujourd'hui, et qui ne représentait alors qu'un ramassis de branches mêlées. Une haie donnée, en guise de cadeau, à son prédécesseur.

— Terre-toi dans le fourré. Si jamais quelqu'un vient z'au presbytère pendant mon absence, tu le suivras jusque chez lui quand z'il repartira. Pour me z'indiquer de qui z'il s'agit, tu marqueras z'un «X» sur la porte de za maison. Comme ça, je pourrai le retracer.

Babine rayonnait. De se voir offrir une mission secrète, ça lui remontait l'estime jusque dans la gorge. Il souriait.

— Pourquoi savoir qui ?

— Pour lui faire une surprise, Babine ! Une belle surprise !

En plus que le curé neuf ne cumulait pas de surprises depuis sa livraison, ça donnait une raison supplémentaire à Babine d'être content de la complicité. Comme de fait, fidèle au poste dans sa vigie subtile, il surveilla dès lors toutes les allées et venues. Fiable. Il ne bougeait pas d'un poil.

Au soir venu, vers neuf heures et quart, pendant l'absence de la soutane, une ombre se profila le long du mur du presbytère. La silhouette pénétra dans la maison. Les marches craquèrent jusqu'au troisième étage, le petit lit craqua, et les escaliers décraquèrent. Pendant ce laps de bruit, le cœur de Babine amplifiait de pompe. Il entrevoyait avec bonheur ce moment où le curé le féliciterait pour sa mission accomplie. Ça s'en venait. Suffisait que le visiteur inconnu retourne chez lui. Suffisait de ne pas en perdre la trace.

Le personnage mystérieux ressortit au bout de quelques minutes. Babine suivit l'ombre, comme une ombre. À bonne distance, pour ne pas être repéré et briser la surprise. Il poursuivit ces contours flous par les détours nets que prenait le flagrant. La côte de l'église, puis la rue Saint-Denis. À droite sur Saint-Paul, un retour par l'île-aux-Têtes, jusqu'à la fourche qui donne sur le quatrième rang. Le suspect sombre filait, notre filature demeurait à ses trousses... Pour sûr, et je vous comprends, que vous voulez savoir qui c'était. Toutefois, vous comprendrez qu'étant donné la situation, je me vois dans l'obligation de ne pas vous l'identifier. Seul indice que je me permettrai : il restait dans le quatrième rang.

Une fois sa proie rentrée, Babine s'approcha du domicile, sortit son couteau, et traça un « X » sur le bois de la porte. Ensuite, fier de son travail, le délateur détala. Il retroussa manches et rebroussa chemin. Au pas accordé sur le sien, jusque chez lui. En route, réfléchissant, il se disait que la surprise allait faire plaisir. Aussi, il pensait que tout le monde serait bien heureux de recevoir une surprise du curé neuf. Et lui qui en faisait si rarement, ça ne nuirait pas à l'appréciation de son ministère. Autant en profiter. Ce n'est pas pour quelques « X » de plus… Puis ainsi de suite.

***

Le lendemain matin, quand le curé neuf déambula par les rues, il compta soixante-quatre « X » sur les portes. Impossible ! Des marques incriminantes sur des maisons de gens bien propres de leur réputation, loin d'être découcheux. Trois douzaines de coupables, alors qu'il s'était absenté moins d'une heure. Mathématiquement impensable. Et si même les mathématiques n'y pensaient pas, il fallait déduire que Babine avait mal assimilé les instructions.

Devant la tournure des événements, l'oncle étourdi décida de monter lui-même la garde aux honneurs de la logeuse du troisième. Comme il ne restait que deux jours aux vacances de la nièce, il suffisait de ne plus quitter le fort avant qu'elle ne soit partie. Sa présence en permanence : personne n'oserait venir pousser la bavure sous son nez.

Installé dans son salon stratégique, il se mit donc en veille et attendit. Assis dans son missel, la chaise berçante sur les genoux. Le premier soir, rien ne se passa. Seul Babine entrait, à intervalles approximatifs, pour crinquer l'horloge.

La surveillance du dernier soir fut interrompue par un appel au mourant.

— Ça peut pas z'attendre ?

Ça mourait tout de suite. Le curé se vit donc dans l'obligation de s'absenter pour un moment. Il résolut d'accélérer les choses s'il s'avérait que ça flâne dans les couloirs de la mort. Il attela sa jument, tira en flèche vers la scène du drame.

Aussitôt le sacrement en route, par un adon du maudit, le fou débarqua au presbytère pour remonter le mécanisme temporel. Il entra, planta sa clé dans le trou du huit, fit quelques tours. Sur le point de s'en retourner, il entendit un bruit qui le retint. Plus qu'un bruit : une petite voix d'ange. Venant du ciel, ou du plafond au minimum, un doux murmure chantant osa une question.

— C'est vous ?

Babine s'immobilisa déstabilisé. Jamais rien entendu de pareil. « C'est vous ? » Pour la première fois de sa vie qu'on lui demandait ça. D'ailleurs, il ne fut pas brûlé pourpoint de la réponse. « C'est vous ? » Hésitation. Puis en y songeant mieux, il se sentit bel et bien lui-même. On est d'ailleurs très rarement pas soi. « C'est vous ? » Il en conclut que oui, il l'était. Certitude. Et il attendit la reprise du piège à convictions pour mieux s'y laisser attraper.

— C'est vous?

— Oui!

Comme un mot de passe-passe. Trois lettres qui suffirent à entraîner un petit gant blanc dans une lente chute à travers le trou de l'escalier. Une fine dentelle de neige,

qui plana tout en douceur,

qui voleta en se berçant,

pour s'écrouler sur la première marche

au bas de la suite.

Babine, le cœur sur la main et l'inverse, chaviré par cette avalanche timide, s'approcha du gant pour le ramasser. Il se pencha, le cueillit, se releva. Déjà, un deuxième petit gant se posait sur la cinquième marche. Il se repencha, se releva, qu'encore il y en avait un nouveau sur la neuvième marche, puis sur la douzième, et encore... À croire qu'une pieuvre vivait là-haut.

Le fou récolta ce rang de doigtés jusqu'à atteindre le troisième étage, là où il fut attiré dans une chambre obscure. Noirceur et bruits de maison vide. De petits bras fins et une haleine douce entraînèrent Babine dans une danse incroyable. Lui qui n'imaginait jamais plus loin que les yeux, il planta sa propre clé dans un trou de huit chaleureux. Il valsa, se laissant porter jusqu'à ce qu'une secousse le saisisse dans le dos. Ce fut une vibration longue, insistante, qui lui ébranla la colonne comme un Richter en convulsion. Un zigonnage agréable, vertébral, viscéral qui grimpait jusqu'en haut de son dos, puis revenait en bas, pour remonter plus encore et taper dans sa bosse. Il se sentait comme électrifié dans le bon sens. Alternatif. Peu s'en fut qu'il ne se mette à allumer dans le noir comme une luciole branchée sur le 110. Il était aveuglant, amoureux frissonnant comme une grande glaciation.

De peu que l'éternité se serait jetée là-dedans. N'eut été les légers pas du curé neuf en état de grasse (trois cent vingt-cinq livres) sur la galerie. Et la réalité fracassa la friction. Déjà que l'impromptu tournait la poignée de la porte de la cuisine. Babine sauta dans ses culottes, dévala les escaliers en attachant sa chemise. La tête comme un d'sour de bras, il tomba face au curé. Le clapet de la flaille encore à mi-chemin.

— Je savais que cela z'était toi !

Le lendemain matin, la nièce fut déposée sur diligence prioritaire sans adresse de retour. Affranchie suffisamment. Puis on n'en entendit plus jamais parler ailleurs que dans les rumeurs minantes et ruminantes.

Évidemment qu'on reconduisit le coupable à la grande pénitence. Cette fois-ci, le comité opta pour la crucifixion ! À partir des matériaux de la vieille potence, on patenta une croix où il manquait un bras, comme un « L » à tête en bas. Babine s'y trouva vissé par les extrémités. Non pas fixé les bras ouverts, mais plié en deux, les mains ensemble, comme un beau midi et quart sur l'horloge de bois.

Le curé neuf annonça bibliquement ce soir-là que les portes du presbytère porteraient dorénavant barrures. Du coup, l'horloge ne servant plus à rien, on la laissa s'arrêter lentement. À la fin, on l'entreposa dans le hangar de la Fabrique, parmi le barda des bébelles inutiles.

— Pardonnez l'heure car ils ne savent pas ce qu'ils font !

UNE POUTRE DANS L'ŒIL DU CURÉ NEUF

On voit ce qu'on espère.
On voit à la mesure de son espérance.

Christian Bobin

Saint-Élie de Klondike, la ruée larvaire, la suée vers l'autre, à bras-le-corps et ruant dans les brancards, c'est mon village. Un dépouillement souhaité et palpable, parce que si on avait tout, aucun rêve ne tiendrait. Comme les écrans chargés ne laissent place à aucune imagination. Mais la nôtre gît blanche et s'offre à chaque idée, sans égard à la couleur. Saint-Élie de Klondike : toujours frais peint. Et comme les améliorations sensibles viennent aisément et sans reproche, ce curé neuf que nous avait offert l'Évêché pétait des scores. On nous avait shippé ça suite à la perte de l'antécédent. De première classe ! Un curé de rêve. Un sac de peau énorme et suant comme une outre mal étanche, avec la raie des cheveux toujours droite et rassurante. Aride comme un tempérament de désert, mais combien égal à ce qu'on nous prédisait.

— On va vous ré-enligner le Paradis !

Depuis cette nouveauté aux gouvernes des âmes, on n'avait jamais vu autant de condamnations en si peu de temps. À part ça que tout se tient. Puis à Saint-Élie, ça va de même : quand la paroisse s'amuse, les dîmes gonflent, les indulgences rapportent. Comme si le plaisir faisait que plus t'as de fun, plus t'es prêt à payer pour en avoir plus.

Plus. Plus. Plus. On virait dans le positif comme jamais auparavant. Un boum œcuménique extraordinaire.

Pas à redire. La Fabrique roulait des affaires d'or. Puis tous en profitaient. Évidemment qu'il y en avait toujours pour se plaindre puis prétendre que notre berger abusait, mais la plupart s'accordaient pour dire que valait mieux fermer sa gueule. De peur de se voir soi-même un jour condamné. Parce qu'on ne savait pas. L'avenir appartient à ces choses-là qui conservent toujours du futur incertain. Puis le jour où on manquerait notre coup puis qu'on tuerait Babine pour de vrai, ça risquait bien de prendre un remplaçant. C'est comme une dope, les châtiments. Le monde s'habitue, puis vient un stade dans la dépendance qui fait qu'on ne peut plus s'en priver. Ce n'est pas comme changer de poste à la tévé. Les condamnations, tu t'attaches à ça. La mort, ça fait partie de la vie.

Le curé avait ça de particulier, outre ses manières drastiques et sa raie droite, de toujours regarder le ciel. Ça aussi, ça participait à calmer bien des angoisses. On ne nous avait rien annoncé de ce côté-là, mais ça s'ajoutait comme un bel extra. Un curé qui miroite en l'air, ça donne l'impression qu'il rouvre le chemin, qu'il s'oriente sur le bon bord. Puis comme on sait que les paroissiens risquent fort bien d'emprunter le sentier battu de leur défricheur céleste, ça rassurait de le savoir le nez en l'air. Il ne regardait jamais personne parce que trop occupé à tracer une route au firmament. Venait le temps de lui parler qu'il ne daignait même pas vous enligner. Toujours les scrutes en l'air. Des fois, il ne répondait même pas quand on lui posait une question. Comme s'il nous ignorait, alors qu'en fait, il travaillait pour nous autres. Il ne se laissait pas déconcentrer. Ça montrait la profondeur de sa détermination. Pieux. Jusque dans le cœur. Il poussait le zèle jusqu'à lever le nez même à l'intérieur, comme s'il avait été capable d'observer à travers le plafond.

On ne compte pas le nombre de journées complètes où il resta entier à s'effouerrer sur la galerie du presbytère, les prunelles perdues dans les nuages. Les passants se risquaient parfois à lui envoyer la main pour le tester, alors qu'on savait bien qu'il ne voyait ni ne saluait jamais parce qu'occupé ailleurs. Le ciel, et que ça !

Par sa tenue altière, avec ou sans s'en rendre compte, il gardait ses yeux hors de portée. En effet, personne n'eut le loisir de lui découvrir les oculaires avant longtemps. Il se mirait en l'air, puis tout ce qu'on percevait de sa face, c'étaient ses deux trous de narines bénites et béantes. Depuis le début que ça se prolongeait. Mais l'éternité fit le hoquet.

***

— Y a quelque chose qui cloche, qu'a dit le bedeau.

Comme de fait, la rumeur rapporta un jour que notre desservant déclignait. Il se rebaissait le caquet. Tellement que quelqu'un en vint à voir ses cernes et ses blancs de mirettes injectés de sang. On entreprit de commander le docteur Cossette à la consulte volante. Il ne tarda pas.

Le diagnostic fut posé et développé en double, mat, avec bordure blanche : « Dans son presbyte, le curé devient myope ».

À cause de sa vue qui raccourcissait, il ne pouvait plus focusser sur les voies de la voûte. D'où son retour à zyeuter bas, avec une larme dans le coin de la paupière.

Sans y penser, toute cette tristesse du chef-d'œil raté s'incrusta dans les émotions générales. La paroisse devrait dorénavant fonctionner à tâtons sur les pavés d'intentions. On imagine l'effet de panique, le découragement à devoir surprendre l'œil magique devenir court de vue et passer de longues minutes à parler aux statues. Le retracer en train de se perdre dans le cimetière, à virer en rond sur lui-même. Une pitié à voir. Un curé neuf, et déjà flétri.

Vous comprendrez que la population ne pouvait pas laisser faire ça sans sévir. Un curé sourd, on avait pris l'habitude avec l'ancien. Mais un curé cécitant, ça dépassait la capacité d'absorption. Lui qui se voulait chef de file, ça lui prenait ses radars. À force de hasard, il nous entraînerait tous dans le noir.

Pour se défouler, et parce que ça fait du bien aux convictions d'attaquer l'autre plutôt que le soi, le curé fit croire que la cause de cette décrépitude résidait en la personne de Babine. Il l'accusa formellement d'être le diable en intérim et de faire subir ses fautes à l'ensemble de la chrétienté.

— Vous voyez! Si la paroisse souffre, c'est que le péché z'y règne. C'est pas sa faute, z'à ce pauvre fou, mais z'il faut le débarrasser du maléfice. Si la bête l'habite, purgeons-le par l'épreuve!

Babine avait le dos large, je vous jure. Et très long aussi, ça s'entend pour cause de bosse. Ça s'empila une fois de plus sur son lot de malheurs.

On obligea formellement le fou à redonner au curé l'accès au ciel. Qu'il rallonge sa vue ou rapproche le dôme, mais qu'il fasse en sorte que le sky-opener reprenne ses fonctions.

Plutôt que de penser à fabriquer des lunettes comme n'importe qui l'aurait fait, la seule issue possible apparaissant à Babine se résumait à celle de descendre le ciel d'un brin. Comme de fait, par un jour où le ciel chargé ployait plus bas qu'à son habitude, le fou fut rapide à la gâchette. Il se tira tôt du lit pendant que tout le monde ronflait encore. Il courut au village, pénétra dans l'église. Il passa par le jubé et délogea les pigeons encore dormants lorsqu'il fit irruption dans le clocher. Il reprit cette route verticale qu'il connaissait maintenant et aboutit sur la pointe du clocher. À bout de bras, il tâta l'aurore, saisit un coin du ciel et le tira à lui. Il en remplit ses poches, redescendit en douce, puis eut le temps de regagner la maison avant même que le coq ne bronche. Revenu chez lui, il nettoya ces bribes cueillies d'azur pour leur redonner leurs teintes de bleu naturel. Quelques morceaux de nuages suivaient encore, attachés à leur mer.

Une fois nettoyé le paquet, il l'introduisit dans la machine à filer de sa mère. Une fine laine céleste fut fabriquée sous peu, sous pli. Il en prit une extrémité puis, en cachette, tricota. Avant même d'avoir eu le temps de s'en faire, il refit pour le curé un beau petit bout de ciel clair. Un carreauté sans prétention, seulement quatre pièces cousues de fils blancs. Une couverture à quatre carreaux avec des traces de nuages bien disposées, comme des fleurs lisses autour des coutures croisées blanches.

***

Il reprit la route du village. Sur le haut de l'hêtre suprême qui agonisait dans la cour du presbytère, à portée de toute vue, il accrocha sa couverture de laine. Comme un drapeau inventé, un bout de ciel battait maintenant l'air devant la fenêtre.

Le curé renoua, tout placebo, avec sa mine d'aplomb. Sous le charme d'une illusion, il reprit le rythme de ses journées à n'avoir d'yeux que pour son ciel-de-lys. Et il ne fut pas le seul à admirer l'ouvrage. Ça devint un rendez-vous que de faire un détour par la galerie du presbytère pour jeter un œil sur ce substitut. Un accès nouveau à la bonne route du Paradis retrouvé. Une mappe d'au-delà dont les visiteurs de l'extérieur s'inspiraient pour se donner eux-mêmes leur ciel particulier. Comme une traînée de pourde, de villages en villages, on vit d'ailleurs se fixer aux mats des cartes du ciel. Aujourd'hui, à la grandeur du territoire, on compte des milliers de ciels bleus fleuris blanc arborés en fier.

***

Dans les jours qui suivirent, pour bien démontrer l'efficacité de l'exorcisme, le curé fit croire à de l'eau bénite. Il trempa son micro dans de l'huile bouillante et aspergea Babine qui cria de douleur. Comme le diable réagissait encore en son corps, on crut bon de le reconduire à une condamnation par écartèlement. On attela vaches, poules et cochons à toutes les prises de sa corporence. Ça dura quelques heures où il fut tiraillé sous les encouragements d'une foule rugissante.

***

L'histoire n'avance plus. Pas de nouvelles, hormis tous ces pavillons battant aux moindres brises patriotiques. Ma grand-mère, quant à elle, croyait qu'on finirait bien par retrouver la vue. Que le ciel reprendrait un jour son statut de seul véritable drapeau.

AILLEURS

L'homme chanceux,
c'est celui qui s'invente
un endroit à trouver...

Yves Thériault

Saint-Élie de Canon, qui se défendit de l'invasion par la bouche de ses refrains, c'est mon village. Un siège de cet écho lointain qui vous habite jusqu'au bout du monde. Enveloppant comme une mélodie de mère berçante dont les notes se croisent sans heurt. Saint-Élie de Canon : un accord signé. Et si la paix impose son lot de sacrifices vocaux, on trouve toujours une miséricorde pour s'en occuper. Babine fut celui qui paya cher le bonheur des autres.

Après toutes ses condamnations accumulées, on comprend bien que notre fou avait l'amour propre lessivé. La nouvelle de son départ récolta une réaction générale.

— Va voir ailleurs !

— C'est où, Ailleurs ?

— C'est par là !

Chez nous, ça fonctionnait ainsi : tu montres la lune, le fou regarde le doigt. Tu montres le doigt, le fou regarde le soleil. Et ce matin-là où Babine décida de se lancer, on lui indiqua l'Est en précisant que c'était loin, mais que ça promettait grand. Il ramassa quelques cossins dans un sac de toile. Il siffla son chien et s'orienta le capot vers le levant.

Quelques jours qu'il mijotait depuis qu'on lui en avait soufflé mot, et Ailleurs avait pris des proportions paradisiaques. Il concevait Ailleurs comme un village de contes. Un patelin parfait. Ailleurs... Saint-Ailleurs de Canon, peut-être. Lui qui n'était jamais sorti de l'alentour restreint, voilà qu'il foulait le chemin de l'utopie. Ses suyiers neufs dans les pieds, ses divagues à l'âme menaient le pas. Il traversa le village pour une dernière fois, le cap à l'Est.

Il passa bientôt la traque de Charette, puis continua vers Saint-Barnabé-Nord. Toujours par là, riant, pour une vie nouvelle. Il fantasmait les habitants de Saint-Ailleurs de Canon, tout de plaisir vêtus, habillés en bonheur deux pièces, de la tête aux pieds. Surtout, il croyait marcher vers un monde où chacun serait un et pas moins. Une place où il ferait partie du tout, où on le prendrait pour autre chose que rien. Enfin, une manière de renouer avec sa première personne du singulier.

Puis il tenait bon. Il passa le rang de la Grande Rivière, traversa Yamachiche. Toujours par là, sans dévier d'un degré...

***

Arrivé au soir, il n'avait encore déniché aucune pancarte affichant sa destination ou quelque nom similaire. Il pensa en lui-même que la route s'allongeait plus que prévu. Et en même temps qu'il craignait d'avoir manqué une fourche, il se consolait que plus ça allait être loin, plus il aurait le loisir de se faire de l'idée. Moins il arriverait à destination et plus le rêve resterait intact longtemps. Avec un peu de chance, il pourrait inventer et inventorier mentalement tous les petits racoins de sa nouvelle ville. Plus c'est loin, et plus on voit grand.

La nuit lui tomba dans les jambes. Fatigué, il franchit le fossé pour se racotiller en petite boule dans les herbes hautes. Il se déchaussa, se fit une tranche de pain beurrée de misère. Avant de s'endormir, il prit soin de vérifier que ses suyiers soient bien en place. Pour se rappeler là où il allait, il les stationna pointant vers l'Est. Comme ça, dès le réveil, il partirait de l'avant. Ça lui éviterait les détours. La tête sur son baluchon, son chien couché le long de son dos, Babine marcha pieds nus sur le chemin des songes. Ses suyiers restèrent éveillés, toujours à l'affût de la visée de demain.

LA TÂCHE DE NAISSANCE

C'était un colosse,
mais il savait désormais
qu'on ne mesure pas toujours les hommes
à la brasse.

Abbé Elzéar DeLamarre

Saint-Élie de Question, dont le nombre de réponses dépasse largement le lot des interrogations, c'est mon village. Un tempérament sûr qui trouve beaucoup plus qu'il ne cherche, et qui voit dans la multiplicité des clés une belle manière de ne pas se frapper à une seule porte. Saint-Élie de Question : des milliers de certitudes accumulées pour chaque doute éventuel.

Chez nous, la croyance populaire veut (et quand elle veut, celle-là, pas besoin de spécifier qu'elle peut) que le sexe d'un nouvel enfant soit déterminé par les premiers mots du précédent. C'est donc dire que si votre dernier-né prononce « Maman » en guise de premier mot, le bébé éventuel sera une fille. À l'inverse, s'il lance un « Papa », le prochain à naître sera un fiston. Chez les Gélinas, de la longue lignée que l'on retrouve à Saint-Élie de Question, le cadet avait été tardif dans ses mots, mais il avait fini par dire « Tracteur ».

***

La légende du Québec est peuplée d'hommes forts. On n'a qu'à penser à cette longue liste d'hypertrophiés dont les hauts faits ne sont plus à redire. Jos Montferrand, dans les Outaouais, qui marquait les plafonds de ses talons par des stépettes magistrales. Celui-là qui était le seul à passer sur le pont quand soixante paires de bras voulaient lui rebrousser le poil. Puis Louis Cyr, qu'on envoya en Angleterre comme digne représentant pour écarteler des juments sous les yeux de la royauté. On se souvient facilement d'Alexis le Trotteur, qui signalait à Alma et arrivait à Jonquière avant que le téléphone n'ait sonné. Puis qui encore ? Victor DeLamarre, qui tenait sa force du Bon Dieu. On lui attachait un cheval sur le dos, il grimpait dans un poteau de téléphone avec la bête. Des géants ! Et ce ne sont là que quelques-unes de ces nombreuses grandes pointures que les intempéries du Nouveau-Monde conditionnèrent. Je n'en ajouterai qu'un seul, pour faire le tour. Un seul, mais sans doute le plus fort de tous. Et j'ai nommé Ésimésac Gélinas. Si humble, qu'on n'en a jamais entendu parler. Mais d'une force qui mérite mention.

* * *

— Tracteur !

On retrace ses débuts dans la rencontre d'un supermatozoïde et d'un ovule exceptionnel frôlant les quatre livres au bas mot et au bas-ventre de sa mère. Développé comme en couveuse velcro. Sa maman le porta dix-sept ans. Puis elle débeula d'un enfant énorme.

Son quatre cent soixante-quatorzième poupon. Voilà qu'elle considérait enfin sa part assumée dans le peuplement du pays. Quatre cent soixante-quatorze enfants baptisés. Dépourvue de prénom pour ce dernier-né, elle l'appela Ésimésac et on passa à autre chose.

Comme la population adulte du village ne dépassait pas les quatre cent soixante-treize, tous les enfants de la bonne femme comblaient les possibilités de parrainerie. Avec cette naissance supplémentaire, chaque habitant étant déjà investi, ne restait plus personne de disponible pour assumer le rôle auprès du gros dernier. On chercha alors dans les marges du recensement, dans les oubliés de la paperasse, pour tomber rapidement sur la seule femme encore libre : la sorcière du village. Elle fut consultée, puis accepta sur-le-champ. La vieille fée cabossée se pointa le nez au-dessus du berceau pour contempler son filleul puis, quand les géniteux eurent le dos tourné, elle jeta un sort au nouveau-né. Elle repartit bientôt en laissant derrière elle un sort, comme un destin gluant, logé chez l'enfant au niveau de son pli de coude. Une plaque qu'on eut beau frotter, gratter, rincer, laver, mais qui demeura indélébile. Une tache de naissance, comme une ombre au tableau des exploits à venir. Comme un cancer de la peau, mais encore pire.

Puis l'enfant grandit. Sept ou huit ans déjà quand sa mère lui demanda de l'eau et qu'il revint avec le puits. On ne comptait plus ses tours de taille. Et quand vint le temps de redresser la grange à Ferdinand Garceau, on remarqua toute la puissance de ses illimites. On avait vu semblable chose à Lac Bouchette quand Victor DeLamarre, appelé sur les lieux d'une étable, nota le manque d'aplomb du bâtiment. Aussi, parce que les animaux compensaient en poussant croche, avec deux pattes courtes, il lui fallut réagir vitement. Une fois aux champs, les vaches tournaient sur elles-mêmes avec leurs deux longues pattes. Victor DeLamarre, pris par l'urgence, empoigna le coin de la grange. À force de surhomme, il souleva le tout, animaux inclus, en attendant que les hommes présents chiment[3] le coin avec de la roche, refassent le solage au niveau. Aujourd'hui encore, la grange droite est conservée pas loin de l'Ermitage Saint-Antoine comme preuve du geste.

Événement similaire dans le quatrième rang de Saint-Élie de Question quand on décela un angle incertain dans les structures des bâtisses de Ferdinand Garceau. On convoqua Ésimésac Gélinas pour vérification et réparation. Doutant peu de la solidité des constructions de Ferdinand, Ésimésac crut prudent de procéder à une inspection complète. Conclusion de l'enquête : illusion d'optique. L'effet croche de la grange venait du fait que le village penchait en sens inverse. On eut alors droit à un hercule, à la jonction des villages de Saint-Élie, Saint-Paulin et Saint-Alexis, se coinçant les mains ferme et soulevant vigoureusement le village en attendant que les hommes présents chiment le coin avec de la roche, refassent le solage au niveau. Aujourd'hui encore, le niveau juste du village est conservé comme preuve du geste.

---

[3] De l'anglais « to chim », qui veut dire « ajuster avec ce qu'on a sous la main pour empêcher que ça branle. Bizouner ».

***

Ésimésac accumulait forces et puissances, faits et gestes de grande ampleur. Personne ne remettait plus en cause la démesure de ses muscles et capacités. En grandissant, parce qu'il semblait ne pas vouloir s'arrêter de, on constatait que la tache de naissance qu'il portait au bras prenait plus de place. S'étendant en proportionnel, on parvint bientôt à voir qu'il s'y trouvait des écritures. Le sort contenu dans la marque se révélait. En lettres de plus en plus claires, on comprit bientôt que le destin de cet homme dépassait tout ce-dont-à-quoi-duquel on pouvait s'attendre : « De cet homme naîtra trois fils, dont un Roi. »

Sort simple, concis, mais chargé de responsabilités. Les prévisions confondaient le réel. Issu d'une famille modeste, habitant d'une légende de village anodine, voilà qu'Ésimésac se devait d'entreprendre l'engendrement de trois fils, dont un Roi. Un Roi ! Vous imaginez bien son désarroi et celui de ses proches.

Ses parents le jetèrent bientôt à la porte sous prétexte qu'il devait entamer la quête d'une femme capable de lui donner trois fils. L'enfant prodigue chaussa ses bottes de sept lieues, lassées jusqu'aux genoux, puis, avant de partir, il se racla la gorge. Mieux respirer pour le long chemin qui l'attendait. Il se gratta du fond de l'œsophage jusqu'au bout de langue. Cent pieds de gorge en tout et partout. Puis, il cracha. Un morviat de milliards de litres de bave. Une flaque diluvienne qui se déversa dans un ruisseau débit.

Sept lieues au pas, il décolla vers le nord. Dans les récits qu'on lui avait faits de ce point cardinal, on rencontrait des personnages taillés d'énorme dans des paysages trop arides. Et pour tenir tête aux intempéries, il semblait que les habitants se développaient en exagéré. Il allait donc droit au but. Au nord, rencontrer femme à sa colossure. Il passa Shawinigan, Les Piles, La Tuque, Mattawin, Garde l'Autre pour demain. Il passa les chantiers, leurs sentiers, puis encore plus haut. Il déboucha sur une toundra tordue. Une végétation rabougrie. Et il comprit tout de suite qu'il ne trouverait pas là porteuse de ses gènes géants. Tout était trop petit. Robuste, résistant, mais trop minuscule à son aise. Il comprit bien, parce qu'à voir on voit bien, qu'il ne trouverait pas porteuse à sa stature dans ce coin de la carte.

Avant de partir ailleurs, il se dézippa la flaille. Se décharger la citerne d'un brin pour le long chemin qui l'attendait. Il se soulagea la tank à pisse. Cent pieds de gorge, alors faites-vous une idée de l'évacuateur. Puis, il urina. Une pisse de milliards de litres de vitamines. Une flaque diluvienne qui se déversa dans un ruisseau débit.

Sept lieues au pas, il décolla vers le sud. Dans les récits qu'on lui avait faits de ce point cardinal, on rencontrait des personnages taillés d'énorme dans des paysages tropicaux. Et pour tenir tête au soleil, il semblait que les habitants se développaient en exagéré. Il allait donc droit au but. Au sud, rencontrer femme à sa colossure. Il passa les sentiers, les chantiers, et encore plus bas. Garde l'Autre pour demain, Mattawin, La Tuque, Les Piles, Shawinigan. Il continua toujours.

Une nuit, fait à noter, il passa près d'un homme couché le long d'un fossé. La silhouette ne lui était pas étrangère. Puis il remarqua, tout près du stationné, les deux petits suyiers neufs insomniaques. Il les essaya, parce qu'on ne sait jamais, mais ça ne lui chaussait même pas l'orteil. Alors il les laissa tomber, sans prendre soin de les replacer comme il faut. Les suyiers pointaient maintenant vers l'ouest.

Et il ré-embraya. Toujours franc sud, il déboucha sur une forêt dense. Une végétation humide, s'élançant vers le ciel. Et il comprit tout de suite qu'il ne trouverait pas là porteuse de ses gènes géants. Tout était grand, mais trop mince. Élancé, mais trop svelte à son aise. Il comprit bien, parce qu'à voir on voit bien, qu'il ne trouverait pas femme à sa stature dans ce coin de la carte. Ce dont il prit conscience, encore plus grave, c'est qu'aucune porteuse ne serait jamais à son gabarit. Du coup, il se résolut à croire que le destin de son pli de coude ne serait jamais satisfait. Lui, l'homme tant fort qu'aucun exploit rebutait. Il se voyait finalement déjoué par un sort minuscule incrusté dans sa chair. Il fut tant triste, qu'il brailla. Il versa cinq larmes. Cinq larmes de milliards de litres chacune. Cinq flaques diluvienne qui se déversèrent dans un ruisseau débit.

Il replia son bras, pour cacher sa tache à l'orgueil. Il replia son bras, en se jurant de ne plus jamais l'ouvrir. Ne plus jamais voir ce narguant *fatum*. Puis, il revint au village et mena une existence sobre et dépouillée. Et c'est peut-être pourquoi on n'en entendit plus jamais parler. La tristesse dans l'œil, une honte rongeuse au cœur. Dans la force de l'âge, alors qu'il aurait pu détrôner les plus grands, il garda ses muscles serrés, ne déplaçant d'air que le strict nécessaire.

***

Sur la fin de ses jours, Ésimésac Gélinas sentit sa date d'expiration cailler. Au moment prévu de la fin, il alla se canter sur une pierre, le long de la rivière, à cet endroit où la chute chuinte. Fermant ses grandes paupières, il se laissa aller au bruit hypnotisant des clapotis. Il se soumit à la mort, le coude toujours honteux. Replié sur lui-même.

Quelques minutes avant l'heure, les clapotes de l'eau se transformèrent en murmures. Un chuchotement aquatique déversa son flot de paroles aux tympans d'Ésimésac. Rassurante, la rivière berça l'homme fort.

— Laisse-toi aller, Ésimésac. Tu peux mourir sans honte. Ton destin est accompli.

Puis Ésimésac réagit. Non pas parce que la rivière parlait, mais pour ses propos mêmes. Son destin accompli? Trois enfants dont un Roi? Plutôt que de répondre, il déplia ce bras trop longtemps retenu et le tendit à l'eau. Le courant glissa sur la tache, y lut le sort, puis répéta ses bons soins.

— Ton destin est accompli. Rappelle-toi ton crachat avant de partir au nord. Un ruisseau en est né. C'est moi, ton premier enfant. La rivière Yamachiche.

Puis Ésimésac ronchonna.

— Trois enfants. Un Roi.

— Rappelle-toi ta pisse. La rivière Saint-Maurice.

Ésimésac doutait encore.

— Un Roi…

— Rappelle-toi tes larmes, ces cinq Grands Lacs qui se déversent dans le même lit. Une tristesse si abondante qu'elle nourrit le fleuve Saint-Laurent. Un Roi ? Du moins un fleuve. Sucré comme l'eau d'érable à sa pointe des terres, et salé comme la mer des voyages à sa gueule d'océan. Un Roi aux marées hautes et basses, comme un pays qui hésite. Qui dit oui, qui dit non, et qui tire son charme de l'hésitation. Un Roi sur la corde raide, avec pour seule idée de se tenir encore debout. Funambule au fil de l'eau… Vas-y, Ésimésac. Tu peux mourir…

***

Ce fut tout, mais bien assez. Ésimésac expira, l'âme en paix, le destin lavé. On le retrouva au matin suivant, canté sur sa roche, avec un sourire de quarante-cinq pieds étampé dans la tache.

La Quincaillerie Gendron.

Ici

Nous étions perdus aux confins du monde
car nous savions déjà que voyager,
c'est avant tout changer de chair.
« Ici c'est l'envers des choses... »
Antoine de Saint-Exupéry

Saint-Élie de Carbone, copie conforme de lui-même, c'est mon village. Comme un miroir poli qui réfléchit franchement, sans se prendre pour une fenêtre. Saint-Élie de Carbone : égal à lui-même. Et si certaines illusions dépassent l'entendement, le village vous replace vite la réalité à la bonne place. Pour se consoler d'une légende aride, par exemple, certains racontèrent que Babine serait devenu beau à un moment de son existence. Une rencontre avec des lutins ou quelque magie comme ça qui aurait débouché en métamorphose agréable. Des fabulations pures et simples, à dire le vrai. Loin de moi l'intention de vous décevoir, mais il faut malheureusement apprendre à ne pas vous fier à tout ce qu'on vous dit. La vérité, je la tiens et vous l'offre. Parce que je n'ai pas l'habitude de mentir. Et si je m'enfarge de temps à autre, faut simplement savoir que c'est pour mieux me le faire raconter encore.

D'abord, précisons que Babine ne fut jamais beau en tant que tel et en temps de vie. Il fut moins pire, peut-être, mais je n'irais pas au-delà de ça. Il changea d'une iotette, mais pas trop pour qu'on ne le reconnaisse plus. Si un bout de sa corporence devint belle, ce fut peut-être seulement par le dedans. Dans sa manière d'aborder le monde, s'il en fut. Dans ses yeux, ça s'améliora. Mais la réalité ne s'en transforma pas pour autant. Parce que ce n'est pas le monde qui change, mais seulement, parfois, l'idée qu'on peut s'en faire.

Cette métamorphose légère s'opéra pendant le voyage de Babine vers Ailleurs. Alors qu'il dormait le long du fossé et qu'aucun rêve n'arrivait à déloger celui de son village inventé, un homme ressemblant étrangement à Ésimésac Gélinas vint essayer ses suyiers. Sans se donner la peine de les replacer. Et les suyiers retombèrent dans la direction inverse de la destination souhaitée. Au petit matin du lendemain, Babine se rechaussa et prit le bord suivant ses semelles. Étrangement, pour la première fois de sa vie, il remarqua que le soleil se levait à l'opposé de l'habitude. Mais il marcha sans s'en faire. Il en avait vu d'autres.

Il traversa Yamachiche, passa le rang de la Grande Rivière. Toujours par là, sans dévier d'un degré. Il continua vers Saint-Barnabé-Nord, il passa bientôt la traque de Charette. Puis il tenait bon. Et il fut récompensé.

Après une deuxième journée de marche, il découvrit un village annoncé sur aucune pancarte. Enfin, rendu Ailleurs. Il se bomba le torse, monta son stress jusqu'au rouge. Le trac est la première trace de la proximité d'un rêve. Et Babine craignait de devoir se contenter d'un idéal plus petit que prévu. Un bonheur ambigu l'habitait. Partagé entre la hâte et la peur. Parce que découvrir une chose, c'est en même temps rencontrer ce qu'elle n'est pas. Puis un rêve renferme toujours une grande partie de ce qu'il ne contient pas. Ça ne tient pas dans la logique, mais le cœur s'en ressent.

Babine posa le pied dans les frontières d'Ailleurs. Il fut soulagé devant la première maison qu'il vit sur sa droite : identique à celle d'Ephrem Pellerin. Ouf! Au moins, le choc culturel ne serait pas trop grand. Il fila son chemin jusque sur la rue Principale, semblable en tout point à celle de sa natale. Il y croisa même une Quincaillerie Gendron avec une Diane Gendron qui envoyait la main dans la vitrine. Pareil comme chez lui. Il descendit la côte et reconnut une roulotte à patates frites comme celle d'Arthur, puis rencontra M'sieur Brodain Tousseur en train de pêcher sur son perron. Il poussa le pas jusqu'au bout, où il découvrit une maison copiée-collée de la sienne. Enfin rendu! Il s'installa dans son Ailleurs inventé comme un homme usé, mais tout le monde devina qu'il revenait dans son vieil Ici comme un homme neuf.

Pépère et Mémère, Eugène et Juliette Garand.

Vous pareillement !

Moi j'ai souvent remarqué
qu'il y a quelque chose avec la réalité
qui n'est pas encore au point.

Émile Ajar

Saint-Élie de Caxton, véritable, c'est mon village. Un patelin qui existe. Beaucoup, même. Un monde caché au bout d'une route, fortifié par l'éloignement. Imprenable, à cause de la distance. Selon votre position, un aimant qui vous repousse où qui vous garde. Saint-Élie de Caxton : fortifié et fortifiant. Et si ça fait du bien à certains de partir, ça fait encore mieux à d'autres de revenir.

***

Un des quelques à s'investir dans le minuscule bien-être de Babine, ce fut M'sieur Brodain Tousseur. Lui-même qui avait mis la main à la pâte au moment de son arrivée au monde. On le reconnaissait d'ailleurs comme un des plus proches amis du fou. Brodain Tousseur l'utilisait sans en abuser. Aussi, il l'invitait chez lui et l'accueillait bouche ouverte lors de ses visites.

Brodain Tousseur se classait parmi les lurons durs à la peine. Ouvert au bonheur large de même. Il ne s'en fallait que d'une brise pour que sa voile gonfle. Comme un grand aventurier sur les eaux de la joie. On lui savait d'ailleurs de nombreux hauts faits d'armes comme pêcheur, lui qui racontait sa passion pour le sport de la pêche tant et tellement qu'on le retrouvait parfois assis dans le confessionnal avec sa canne.

— Mon père, je m'accuse d'avoir pris un poisson trop gros pour le ramener à la maison.

— Pas vrai?

— Juste la photo pesait douze livres!

On ne se surprenait même plus. Il passait d'ailleurs des journées entières à tirer sa ligne partout. Embarqué sur sa galerie, il visait dans les flaques d'eau que la pluie oubliait dans les trous de la garnotte. Et Ti-Guy Lavergne se faisait prendre à chaque fois.

— Ça mord-tu?

— T'es le troisième que je pogne!

On raconte même que le curé neuf, dans les premiers temps de sa venue, parce qu'infaillible, ne se méfiait pas des roches glissantes du pied de la chute. Aussi, il finit bien par perdre contrôle et se retrouva plongé dans le bouillon blanc de la chute. En état de grasse, il se laissait brasser dans le bouillon. Les premiers à s'apercevoir de son absence se lancèrent à l'eau, essayant de le tirer de là.

— Un homme à la mer!

Mais le courant rugissait fort. Et l'état de grasse pesait lourd! Personne ne pouvait le rescaper. Aussi, le curé continuait de ballotter sur lui-même, les yeux dans le vide.

— Notre curé neuf ! Il faut sauver notre curé neuf !

Après de nombreuses tentatives, on finit par s'entendre sur le fait que M'sieur Tousseur serait le seul capable de délivrer notre homme. On alla le quérir, on l'installa près de l'eau. Tousseur arborait sa fierté, ses yeux pétillaient. Qu'enfin on lui reconnaisse ce don pour la pêche, il s'en voyait honoré. Il regardait son poisson énorme, et pensait en lui-même que c'était le moment de montrer ce dont il était capable. Il mijota son affaire. Il ajusta son hameçon au bout du fil, prenant son temps. Il cherchait le meilleur à appâter. Pour un curé, c'est connu, on ne met pas de ver au bout de la ligne. Tousseur trouva tout de même l'idée juste : il tira un billet de cinq piasses dans le fond de sa poche, le fixa au fil qu'il lança à l'eau. Dans le temps de le dire, le curé mordit fort et fut tiré des flots. Sauvé, à son grand désarroi.

***

M'sieur Tousseur, ne se satisfaisant pas de l'ordinaire, s'inventait des rituels. L'un d'entre eux fut cette tournée du jour de l'an qu'il répéta pendant quelques années. Le trente et un décembre au soir, quelques heures avant les minuits, il prit coutume de faire le tour des maisons pour souhaiter le mieux à chacun. Quelques gouttes de rires et de vœux doux. Cul sec ! Ça vous replaçait la confiance pour l'an neuf à chaque fois.

Cette année-là, il invita Babine à tourner avec lui. Flatté ! Lui qui ne recevait jamais de souhaits que des malédictions. Il allait enfin partager les espérances du jour.

— À partir de demain, tu vas te pratiquer. Je veux te voir cogner à ma porte tous les jours pour me souhaiter le « vous pareillement! ».

On était à la mi-octobre. Deux mois et demi de pratique, ça devrait suffire à lui donner l'assurance voulue.

Babine mit du sérieux dans son affaire. Il ne manqua pas une date de ces dix longues semaines de préparation. À chaque fois, la même chose. Tousseur ouvrait et lui souhaitait le mieux. Babine répondait. Hésitant dans les premiers temps, il fut bientôt assez rapide.

— Vous pareillement!

Quelques semaines encore et il arrivait à nuancer ses réponses. Des « vous pareillement! » certains, secs, d'autres plus sentis. M'sieur Tousseur l'encadrait, comme un metteur en scène, lui apprenant les rudiments de l'authenticité malgré la répétition.

Après deux mois, le fou était fin prêt. Gonflé à bloc. Il répondait « vous pareillement! » à tout ce qu'il entendait.

Le grand soir venu, Tousseur fit venir Babine chez lui une heure à l'avance pour les dernières retouches. Il lui avait fait coudre une bosse sur un veston de seconde main. Babine en complet, ça avait l'air d'un tas de compost sous du tapis gazon. Et il souriait toujours, en faisant signe que oui. Tout juste avant le départ, Tousseur lui fit lever les bras, lui glissa des papermannes sous les aisselles. Une de chaque bord. Babine sentait le rose d'un côté, le vert de l'autre. Et ils prirent le chemin.

Chez Léo Déziel, on souhaita du succès dans vos entreprises.

— Vous pareillement!

Chez Charles-Auguste de Charrette, de la santé.

— Vous pareillement!

Chez Eugène Garand, du bonheur.

— Vous pareillement!

Chez Ferdinand Garceau, de l'amour.

— Vous pareillement!

Puis vint le moment, au bout de la ligne, de cogner à la porte du presbytère. Ce fut le curé neuf en personne qui ouvrit. Tousseur et son confesseur placottèrent un peu, puis, avant de faire maison nette, la soutane prit finalement Babine par les épaules. Ils se croisèrent les regards, l'un doux et heureux, l'autre dur et faux. À chacun de choisir qui fut l'un, qui fut l'autre. Puis le curé lança, d'une seule voix:

— Je te souhaite, cher z'ami, de devenir moins fou!

La réponse fut prompte et sans hésitation.

***

Babine fut reconduit à une autre condamnation. Cette fois-là, la date fut fixée aux Rois. Condamnation? Ne sachant plus comment procéder pour l'éteindre, il fallut trouver un problème pour la solution. D'abord, Babine avait goûté une si vaste panoplie de supplices que les choix restants se raréfiaient. Pendaison, écartèlement, noyade, empoisonnement. Chaque fois, il se relevait en souriant. Et c'était peut-être ça le plus choquant. Sa béatitude. Ce sourire éternel qui ne s'effaçait devant rien. Chatouillement, exécution à bout portant, crucifixion, avortement. Et il était toujours debout. À le voir, on était convaincu : oui, le bonheur existe. Un bonheur qu'aucun malheur n'affectait. Quoi faire, donc ? Procéder à un ultime pour en finir pour de bon ! Le comité ne savait plus comment l'achever. Tout y était passé.

L'idée germa dans la tête de plusieurs, puis on opta finalement pour l'organisation d'un procès. Cette fois-ci, plutôt que de livrer verdict sans plaidoyer, on allait organiser le spectacle de la cour. Ce fut mis en place dans le temps de le dire. La salle paroissiale fut réservée, puis on construisit un décor à partir des matériaux utilisés pour la crèche de Noël. Des affiches furent placardées tout autour, dans les villages environnants. Un événement si original, une première dans le coin, ça se devait de ne pas passer inaperçu. Un procès ! Inutile de dire qu'on y voyait aussi une bonne manière de gonfler les coffres de la Fabrique.

Comme de fait, la salle fut pleine à fendre. Les gens étaient empilés jusqu'au plafond, par ordre de poids. Il faisait chaud, ça suait dru. Les premiers coups de marteaux fermèrent clapets. Pour l'occasion, M'sieur Tousseur incarnait le juge. Il avait enfilé une des robes du curé. On lui avait acheté une perruque blanche boudinée. Le trac lui ayant ouvert la soif dans l'après-midi, il avait déjà avalé une bonne dose de bière bénite à l'ouverture de la représentation. Bière bénite à 10 %. C'était une batche spéciale de brassée de bibittes que Tousseur avait lui-même vendue au curé neuf en lui faisait croire que le vin de messe allait passer de mode. Aussi, et ce n'est pas pour me vanter, Saint-Élie de Caxton fut le seul village au monde, au monde entier, à jouir d'un curé dont le sang de l'alliance éternelle pétait en broue dans le calice.

Aux coups de marteau, donc, Tousseur affichait une tête de juge très vague dans sa prononciation. Comme si sa langue et son menton faisaient chambre à part.

— La séance est ouverte!

Et il se lança sans attendre dans les formalités.

— En vertu de la cour qui m'est conifère, nous avons cocotté la procédure ci-jointe qui vous accable. L'ensemble des alinéas législatiques, dont la suppute vous en trêve mise sous main, nous administre en somme la remise de peine du survivant. Nous ne pûmes comme dû.

Puis, le condamné au préalable fut amené, menottes aux poings, dans le box improvisé. Son entrée provoqua crachats et huées. Tousseur tint tête à la foule, se retroussa la jaquette et frappa plus fort sur le bureau.

— SILENCE! La cour est ouverte. On pourrait nous entendre.

Puis:

— Soussignés et honorables, incessamment clauses de la bonne marche, il fut en chambre et voté que l'ordre public devait sévir. D'emblée, la rigueur pénale allègue serment et franchise de justice.

La foule s'emporta encore. Huées, bagarres, cris.

— On comprend rien de ce qu'il dit!

Et l'honorable juge frappait plus fort sur le bureau. La tension d'une première.

— Si vous suivez pas, on arrête tout ça icitte. Moi, je vais sacrer mon camp. Puis ça va finir comme ça a été tout le long. Le monde va être encore tout croche. Puis le monde vont être en maudit. Puis y a plus personne qui va vouloir entendre parler de nous-autres. Humm... Soyons nobles, concitoyens. On sait jamais. Puis quand on sait pas, on se la ferme!

Il eut raison de la pagaille. Chacun reprit la place sur la tête de son ci-dessous, puis les choses reprirent leur cours. Babine fut assermenté, la main sur la Bible. Puis, les témoins défilèrent les accusations. La majorité l'emporta. Après l'entracte, on arriva au punch du verdict.

— Stipulé comme il fut, Babine est condamné à mort. Nonobstant, nous ne sûtes comment le persécuter de maintes reprises. Donc, l'honneur qui m'habite vous le dit: Babine, nous allons vous laisser le choix de mourir de la manière que vous le souhaiterez.

Situation renversée. Le choix de la peine retombait sur les épaules de l'attristé. Vous auriez fait quoi? En plus que notre coupable avait déjà tâté de la plupart des conclusions. Sous les cris nourris de la foule affamée, il consulta son neurone. Il chercha, dans la liste de toutes les fins possibles. Il chercha, mais, surtout, il trouva. Exactement ce que ça lui prenait. Il porta ses yeux brillants sur le juge. Il regarda ensuite la foule dans chacun de ses œils. Il souriait large, comme toujours. Il fit le tour, puis revint sur le maître de l'assemblée, son ami.

— Votre honneur... votre seigneurie... votre dramaturge...

— Appelle-moi Brodain!

— Votre Brodain ! Je vais prendre la mort la plus grande, la plus noble qui soit. Je vais prendre la mort...

Les yeux ne clignaient même plus. Par chance qu'il n'étira pas la sauce trop longtemps car tout ça aurait définitivement manqué de pages et de salive.

— Je vais prendre la mort... par le temps.

Brodain en avait plein son casque. Le mal de tête commençait à le secouer en dégrisant. Il en profita donc pour étamper un coup de marteau sans équivoque.

— Adjugé !

L'affaire fut clause. Babine fut condamné à mourir par le temps. Ce fut la dernière condamnation qu'on lui fit souffrir. Aussi, ce fut la seule dont il mourut.

Roger, à table.

TROP, C'EST COMME PASSÉ

Et tout cela est le fruit
de ces élans non calculés du cœur et de l'esprit
d'un petit peuple qui n'a pas perdu le goût de vivre,
parce qu'il a eu la force
de garder quelques-unes de ses ILLUSIONS !
Paul Legendre

Voilà comment tout ça s'est passé. Maintenant, l'histoire est finie. Ce qui reste n'est que pour ajouter à ce qui fut déjà rapporté.

D'abord vous confesser une chose : le nom véritable de Babine fut Roger. J'ai osé changer de nom pour me permettre de colorer quelques parties de récit qui auraient manqué de teintes aux yeux de ceux qui ne l'ont pas connu.

Roger à Ti-Mac. Condamné à mourir par le temps. Ce fut le fou de mon village pendant de nombreuses années. La première fois que j'eus connaissance de sa présence mystérieuse, je devais avoir six ans ; lui, autour de soixante. Il avait dix fois mon âge. Au moment où j'écris ces lignes, j'en compte vingt-cinq. Dix fois mon âge, il aurait eu deux cent cinquante ans cette année. Mort il y a deux ans, ça lui faisait donc autour de deux cent quarante-huit ans à son décès, si on calcule bien.

Roger à Ti-Mac. Condamné à mourir par le temps. Il habitait sur la rue Saint-Pierre. Plus précisément chez Gérard Lachance, en face de chez mes parents. Parce qu'il avait besoin de quelqu'un pour s'occuper de ses affaires, Gérard et sa femme prirent sur eux de le gâter. Je le voyais partir et revenir, de nombreuses fois par jour, pour aller à ses ouvrages. Il partait branler ses Angélus, faire des commissions. Il marchait voûté, docile, soumis. Mais souriant.

À tous les automnes, Roger allait ranger sa brouette à grands manchons dans le hangar de ma grand-mère. Le temps passait, et il faisait partie des meubles. Il contenait en lui seul une partie du paysage de mon village. Mon village, son visage. Juxtaposés.

Un jour, on l'a perdu. Ce que j'ai su c'est que, vieillissant, sa condition demandait plus de soins. Aussi, Roger fut placé dans une résidence pour personnes âgées à Shawinigan. En ville. Quelques-uns osèrent s'y rendre, au début, pour le visiter. Mais on raconte que Roger ne voulait voir personne. Il criait à travers la porte barrée de sa chambre : « Me rapportez-vous à Saint-Élie ? » Puis quand on lui répondait que non, il refusait d'ouvrir. Lui qui purgeait sa peine sans fin, il en souffrait. On soupçonne qu'il ait même pensé faire revoir sa sentence devant les tribunaux. Mais il n'en avait pas les moyens. À la fin, on lui avait tout enlevé. Peut-être même écorché son bonheur inébranlable.

Devant la porte barrée de sa chambre minuscule, les visites se sont espacées, puis dispersées, puis dissipées… Sur les derniers mois, presque personne n'alla plus lui parler de son village. Il disparut de nos rues, pour bientôt voir les rues s'effacer en lui.

Dans Le Nouvelliste du 14 avril 2001, la dernière page nous annonça un Roger qui laissait dans le deuil Gérard et des feux.

— Il était pas déjà mort, lui ?

Oublié. Roger n'habitait déjà plus nos mémoires.

Quand même, il fut embaumé cinq étoiles, exposé au salon funéraire. Lui qui avait toujours pensé qu'à son tour ce serait plein parce qu'il avait toujours assisté aux funérailles des autres. Mais il n'y avait pas pensé. Les morts n'étaient pas là, seulement les vivants. Et bien peu. Trop peu.

Il était là, visage paisible et maquillé dans un cercueil aux fioritures chromées. Il avait sur le dos son veston bossu offert par Brodain Tousseur au fameux soir du trente et un décembre. Son corps avait gonflé, comme ça le fait toujours. À cause de la mort ou à cause du liquide qu'on injecte. Il bombait juste assez pour que sa peau se tende, que ses rides s'estompent. Presque beau. J'en ai même entendu un chuchoter qu'avoir su, on l'aurait fait embaumer quand on l'a eu. Hommage posthume. On est allés loin avec notre fou. On n'a pas été fins avec le fou.

Quand est venu le temps de se rendre au service, nous étions sept ou huit derrière le corbillard à attendre la marche. On patientait, mais les charrieux de tombe ne venaient pas. Il fallut que Michel Brodeur, le fils de Brodain Tousseur, se décide à enfin rentrer au salon pour s'informer. Ce qu'on lui expliqua, c'est que le cercueil était loué. Les charrieux de tombe se demandaient donc comment transporter le corps. Toujours pas pour l'enterrer dans une couverture !

Michel sortit en courant.

— Bougez pas de là !

Il alla fouiller dans le hangar du presbytère pour sauver l'affaire. Dans le barda de la shed, il mit la main sur une grande boîte de bois franc. Un coffre d'horloge grand-père aux dimensions d'un cercueil. La tête pliée sur l'épaule, Roger faisait juste à sa taille. Et on lui glissa la clé-papillon dans une main.

Porté en terre dans un trou comme les autres.

— Avoir su, on l'aurait fait creuser lui-même.

On a jeté les premières pelletées de terre sur le coffre vitré, puis le train a sifflé à Charette.

— Ah! Il va mouiller!

Chez nous, quand on entend le train siffler à Charette, ça annonce la pluie pour le lendemain. C'est la loi de notre météorologie populaire. D'ailleurs, le fond de l'air venait de changer. La girouette avait viré de bord et le vent bourrassait si fort que les cloches sonnèrent toutes seules. Pour sûr qu'il allait pleuvoir.

Le lendemain, il n'a pas plu. Je suis allé consulter mon Pépère Eugène pour lui faire dire ce qui n'allait pas dans nos dictons prévisionnels. Ce qu'il m'a raconté, c'est que l'air change, et que tout ne tient plus.

— C'est l'air du temps. Quand on se met à oublier nos fous avant même l'heure de leur mort, quand on laisse enterrer et pourrir les horloges grand-père, c'est l'Ancien Temps qui disparaît, mon p'tit homme…

Il avait encore raison.

***

Aujourd'hui, dans mon village, ce sont les temps nouveaux. Progrès, vitesse, néon, stainless. Comme s'il en fallait plus que ça en prend.

Mais je ne peux pas croire qu'on a jeté la sagesse avec l'eau du bain. Je ne peux pas penser que les fleurs ne finiront pas par faire craquer l'asphalte complètement. Je ne peux pas croire que les étoiles ne brilleront plus quand le dernier lampadaire sera éteint. Je ne peux pas croire qu'on ne retrouvera pas la vue pour refaire du ciel véritable un drapeau unanime.

Je ne peux pas croire que non. Dans mes illusions, Babine est toujours là, dans le coffre, avec la clé-papillon. Et il doit en profiter, de temps en temps, pour faire un demi-tour dans le huit. Redonner quelques instants à l'Ancien Temps. Parfois, entre chien et loup, je me surprends le tympan à entendre des tics sans tac…Et ça me fait sourire.

***

Voilà. L'histoire d'un homme qui aura vécu il y a deux cents ans jusqu'à il y a deux ans. Et peut-être que dans deux cents ans ou dans deux ans, une nouvelle légende prendra forme. Peut-être que cette fois, l'un de nous sera le personnage de la légende. Ma grand-mère disait, avec justesse, qu'on devrait se forcer pour faire en sorte que les légendes de demain soient encore plus belles que celles d'aujourd'hui.

Tout ce qui se trouve dans ces pages est environ vrai et très vérifiable. C'est vrai, et on n'est même pas obligé d'y croire. Parce que l'important, ce n'est pas d'y croire. L'important, c'est que c'est vrai.

LAFRENIÈRE

M. ROGER

(dit coboy)

Au Centre hospitalier régional du Centre de la Mauricie, le 13 avril 2001, est décédé à l'âge de 82 ans, M. Roger Lafrenière, fils de feu Maxime Lafrenière et de feu Clara Pelletier, demeurant à Shawinigan, autrefois de Saint-Élie-de-Caxton.

La famille accueillera parents et ami(e)s aux:

Salons funéraires
Julien Philibert et Fils inc.
64, rue Principale
Saint-Élie-de-Caxton.

Heure d'accueil : lundi, jour des funérailles à partir de 10h.

Les funérailles auront lieu
le lundi 16 avril, à 14h
en l'église de Saint-Élie-de-Caxton.
L'inhumation aura lieu
au cimetière paroissial.

Le défunt laisse dans le deuil, son beau-frère : Gérard Lachance (Lucille Deschènes); sa belle-soeur : Corona Lambert (feu Wilbrod Lafrenière); il laisse aussi plusieurs neveux, nièces, cousins, cousines et ami(e)s.

Renseignements: (819) 378-3838.
Télécopieur: (819) 375-6456.
Courriel : complexe@jphilibert.com

Article de nécrologie du Nouvelliste. Avril 2001.

LA DEUXIÈME BIBLE

Autrefois, toute bonne maison d'habitant cachait au moins deux livres. Deux livres, comme deux religions. D'abord, il y avait la Bible, bien sûr, pour connaître les sagesses de Dieu, puis l'Almanach, ensuite, pour reconnaître les folies de la Nature. Subissant les colères divines et diluviennes, nos anciens tentaient, par leurs lectures, de mettre le ciel de leur bord. Et si, encore aujourd'hui, le climat conserve son influence sur nos vies malgré tous nos progrès confortables, il est facile de s'imaginer la place qu'occupait le thème du temps dans les discussions d'antan.

— Le trois fait le mois !
— Le cinq le défait !
— Le sept le refait !
— Le neuf fait ce qu'il peut !
— Le douze ne se peut plus !
Et ainsi de suite jusqu'au trente…
— Ah ! Ça ira mieux le mois prochain !
Et on ne citait pas la petite Mam'zelle poudrée de Météomédia ! Non ! On se basait sur les propos de Madame Nature elle-même.
— Le diable bat sa femme pour avoir des crêpes, me disait ma Mémère Juliette quand la pluie et le soleil y allaient d'un duo.

On arrivait à prévoir les humeurs du ciel quelques heures, quelques journées d'avance. Certains, ayant l'œil plus affilé, annonçaient le temps un an d'avance! Oui! Les grands de l'art, c'étaient les faiseux d'almanach! Dans chaque coin de pays, d'ailleurs, on trouvait un sage suffisamment imaginatif pour tracer la courbe climatique sur douze mois. Et tout ça, grâce au savoir transmis depuis des âges.

Pépère Eugène m'a affirmé que la recette n'était pas connue de tous: «Il fallait avoir un don pour lire les lignes du temps!»

Dans mon village, M'sieur Léonard Blais était le détenteur de cette connaissance météorologique magique. Reconnu pour l'exactitude de ses prévisions, M'sieur Ti-Nord pouvait vous dire, avec grande exactitude, s'il allait neiger le vingt-quatre juin, s'il allait faire chaud le vingt-cinq décembre. Et il se trompait rarement!

Son secret? Voici, voilà! La rumeur a porté jusqu'à mon oreille la recette de cette science populaire! Pour inventer votre propre almanach, il faut suivre les étapes.

1. L'ÉTAPE TECHNIQUE

«À partir du 26 décembre, en allant jusqu'au 6 janvier, tu vas voir passer la météo pour un an. Du 26 au 31 décembre, ça te montre les températures des six premiers mois de l'année à venir (janvier à juin). Durant les six premiers jours de janvier, ça va être les six derniers mois (juillet à décembre). Chaque jour représente un mois, pis chaque tranche de six heures vaut une semaine.»

2. L'ÉTAPE DE L'À-PEU-PRÈS ESTIMÉ AUX ALENTOURS

« Là, tu te fies à ce que tu vois pis t'écris ça sur le calendrier que tu t'es fait. Ça marche presquement tout le temps ! Bien sûr, t'auras pas un quatre-vingt degrés le 31 décembre pour te montrer qu'il va faire chaud en juin. Pis imagine-toi pas qu'il va tomber deux pieds de neige en juillet à cause qu'il se brasse une tempête au Jour de l'An. En seulement, selon qu'il fasse soleil ou venteux, nuageux ou clair, tu vas pouvoir dire que telle semaine de tel mois sera de telle manière. »

3. L'ÉTAPE LA PLUS DIFFICILE

Une fois tout ça bien noté, on doit procéder à l'acte de foi. On m'assure que pour que tout ça fonctionne bien, on se doit d'y croire dur comme fer. Ainsi, donc, vous vous verrez devenu l'auteur d'un recueil des prévisions du temps, d'un pacte signé avec Madame Nature elle-même, d'une Bible de la météo.

— Et si ça marche pas ?

— Il faut réessayer encore… jusqu'à temps que ça marche !

CALENDRIER

TEMPS DE L'ANNÉE :   REMARQUES :
                                      (nuageux, ensoleillé,
                                      précipitations, etc...)

26 décembre : prévisions pour janvier

Minuit à 6 heures = 1ᵉ semaine du mois : _____

6 heures à midi = 2ᵉ semaine du mois : _____

Midi à 18 heures = 3ᵉ semaine du mois : _____

18 heures à minuit = 4ᵉ semaine du mois : _____

27 décembre : prévisions pour février

Minuit à 6 heures = 1ᵉ semaine du mois : _____

6 heures à midi = 2ᵉ semaine du mois : _____

Midi à 18 heures = 3ᵉ semaine du mois : _____

18 heures à minuit = 4ᵉ semaine du mois : _____

5 janvier : prévisions pour novembre

Minuit à 6 heures = 1ᵉ semaine du mois : _____

6 heures à midi = 2ᵉ semaine du mois : _____

Midi à 18 heures = 3ᵉ semaine du mois : _____

18 heures à minuit = 4ᵉ semaine du mois : _____

6 janvier : prévisions pour décembre

Minuit à 6 heures = 1ᵉ semaine du mois : _____

6 heures à midi = 2ᵉ semaine du mois : _____

Midi à 18 heures = 3ᵉ semaine du mois : _____

18 heures à minuit = 4ᵉ semaine du mois : _____

Saint-Élie de…

Gentilé: Caxtonien
Surnom: Tireux de Roches
Mais on fait des pressions pour libérer le Saint-Éligent si évocateur
Coordonnées géographiques: 46°29'   72°58'
Population: 1 254
Érection canonique (sans prétention!): 1 865
Région administrative: Mauricie-Bois-Francs
Comté: Saint-Maurice
Diocèse: Trois-Rivières
Superficie: 118,8 km 2
Nombre de lacs: 38
Site Internet: www.saint-elie.net
Premier curé desservant: Abbé Élie Sylvestre Sirois
Premier conseil municipal: 1868. Premier maire: Calixte Bellefeuille
Motif de développement: Exploitation des forêts
Kilométrage de piste cyclable asphaltée: 68
Bureau municipal: Maison du citoyen,
                    22 chemin des Loisirs
                    St-Elie-de-Caxton (Québec)
                    G0X 2N0

Article paru dans le journal de l'Association des familles Boisvert.

LE SONNEUR ORIGINAL
Marcel Boisvert

(…) Après « Le quêteux », voici « Le sonneur ». Il s'agit d'un épilogue concernant un citoyen original et attachant de Saint-Élie de Caxton, en Mauricie, qui a eu la tâche et l'honneur de sonner les cloches de l'église de son village durant de nombreuses années comme sacristain enthousiaste et très ponctuel. Depuis plus de vingt-cinq ans, je connais personnellement ce personnage de la petite histoire de Saint-Élie. Malgré sa taille semblable à celle de Zachée de Jéricho, il possédait une force physique extraordinaire. Aussi a-t-il pu rendre plusieurs services presque gratuits à bien des gens du village sans préjudice pour sa fonction de sacristain. Il était prénommé Roger. Souvent ce prénom était prononcé à l'anglaise. Âgé de 80 ans, il jouit maintenant d'une retraite bien méritée dans un centre d'hébergement pour personnes âgées à Shawinigan. Voici donc son histoire racontée de façon fidèle et agréable par notre cousin André (écrit en 1993) :

LE SONNEUR

Les cloches sonnent. Il est midi, il est six heures, il est sept heures moins quart, c'est la messe de minuit, il est là, à son poste pour rappeler aux gens que c'est l'heure, le moment de dire «Bonjour» à Dieu.

Les mains accrochées aux câbles, la tête penchée, il tire. Les yeux rivés au plancher de bois vernis, il étudie sa musique à lui. Il se laisse parfois soulever par ces câbles, empêchant ainsi une fausse note, un tintement non voulu.

Les mains aux câbles, il sonne l'arrivée d'une vie nouvelle ou le départ d'une vie usée. De ses cloches sonnant à toute volée, il crie la joie des nouveaux mariés. C'est l'Eucharistie, il s'en vient dans la petite allée, traînant la bottine et ne regardant nulle part. Il se rend encore à ses câbles pour avertir Dieu que c'est le temps de venir chercher les offrandes, les demandes de centaines de gens le cœur gonflé d'espérance par de petits tintements tout discrets. Il revient la tête penchée comme le grand pécheur quand il pourrait marcher la tête haute comme le grand chef d'orchestre. Son seul regard vers le ciel étant à sa sortie de la sacristie pour demander à Dieu s'il est content de son «job».

C'est cow-boy, Roger le bedeau, l'homme le plus connu du village. Autant que le maire, le garagiste, le postier. Celui qui laissera un grand trou dans son village quand il partira pour son grand territoire reçu en héritage de sa vie. Celui qui demandera à Dieu le droit de tirer les câbles au Paradis. La barbe mal faite, les cheveux en broussaille, le bout des bottines retroussé, il fera sûrement sourire le bon Dieu.

André Deshaies

Achevé d'imprimer
en décembre deux mille quatre, sur les presses
de l'imprimerie Gauvin, Gatineau, Québec